读经典　学养生

福

FU
SHOU
DAN
SHU

福寿丹书

明
—
龚居中
著

中国医药科技出版社

主　编

陈子杰　王红彬

内容提要

《福寿丹书》为明代著名医家、道家养生家龚居中所著，共6卷，名为"六福"。本书节选了其中三福：一福安养篇，主要阐述衣、食、住、行、宜忌与长寿之关系；三福服食篇，记录了有关抗老防衰、益寿延龄的食疗、食养方；四福采补篇，介绍吕祖采补延年秘篆与房中养生方法。文中配有白话注解，方便现代读者阅读中医养生经典，品悟与借鉴古代养生方法。

图书在版编目（CIP）数据

福寿丹书 / （明）龚居中著；陈子杰，王红彬主编. — 北京：中国医药科技出版社，2017.7
（读经典 学养生）
ISBN 978-7-5067-9242-4

Ⅰ. ①福… Ⅱ. ①龚… ②陈… ③王… Ⅲ. ①道教 – 食物养生 Ⅳ. ①R247.1

中国版本图书馆CIP数据核字(2017)第082096号

福寿丹书

美术编辑 陈君杞
版式设计 大隐设计

出版 中国医药科技出版社
地址 北京市海淀区文慧园北路甲 22 号
邮编 100082
电话 发行：010-62227427 邮购：010-62236938
网址 www.cmstp.com
规格 787×1092mm ¹⁄₃₂
印张 7 ³⁄₈
字数 106 千字
版次 2017 年 7 月第 1 版
印次 2017 年 7 月第 1 次印刷
印刷 北京九天众诚印刷有限公司
经销 全国各地新华书店
书号 ISBN 978-7-5067-9242-4
定价 16.00 元

丛书编委会

主　审
翟双庆

主　编
张小勇　林　燕　李　建　刘丹彤　刘晓峰
张　戬　禄　颖　吴宇峰　张　聪　陈子杰

编　委
白俊杰　王红彬　寇馨云　牛逸群　李伊然
陈小愚　刘轶凡　史雨宸　温笑薇　贾思涵
宋慧荣　罗亚敏　杨学琴　李文静　常孟然
马淑芳　赵程博文

本书编委会

主　编

陈子杰　王红彬

副主编

禄　颖　张小勇　刘丹彤

出版者的话

　　中医养生学有着悠久的历史和丰富的内涵，是中华优秀文化的重要组成部分。随着人们物质文化生活水平的不断提高，广大民众越来越重视健康，越来越希望从中医养生文化中汲取对现实有帮助的营养。但中医学知识浩如烟海、博大精深，普通民众不知从何入手。为推广普及中医养生文化，系统挖掘整理中医养生典籍，我社精心策划了这套"读经典 学养生"丛书，从浩瀚的中医古籍中撷取20种有代表性、有影响、有价值的精品，希望能满足广大读者对养生、保健、益寿方面知识的需求和渴望。

　　为保证丛书质量，本次整理突出了以下特点：①力求原文准确，每种古籍均遴选精善底本，加以严谨校勘，为读者提供准确的原文；②每本书都撰写编写说明，介绍原著作者情况，该书主要内容、阅读价值及其版本情况；③正文按段落注释疑难字词、中医术语和各种文化常识，便于现代读者阅读理解；④每本书都配有精美插图，让读者在愉悦的审美体验中品读中医养生文化。

需要提醒广大读者的是，对古代养生著作中的内容我们也要有去粗取精、去伪存真的辩证认识。"读经典 学养生"丛书涉及大量的调养方剂和食疗方，其主要体现的是作者在当时历史条件下的养生方法，而中医讲究辨证论治、因人而异，因此，读者切不可盲目照搬，一定要咨询医生针对个体情况进行调养。

中医养生文化博大精深，中国医药科技出版社作为中央级专业出版社，愿以丰富的出版资源为普及中医药文化、提高民众健康素养尽一份社会责任，在此过程中，我们也期待读者诸君的帮助和指点。

中国医药科技出版社

2017 年 3 月

总序

养生（又称摄生、道生）一词最早见于《庄子》内篇。所谓生，就是生命、生存、生长之意；所谓养，即保养、调养、培养、补养、护养之意。养生就是根据生命发展的规律，通过养精神、调饮食、练形体、慎房事、适寒温等方法颐养身心、增强体质、预防疾病、保养身体，以达到延年益寿的目的。纵观历史，有很多养生经典著作及专论对于今天学习并普及中医养生知识，提升人民生活质量有着重要作用，值得进一步推广。

中医养生，源远流长，如成书于西汉中后期我国现存最早的医学典籍《黄帝内经》，把养生的理论和方法叫作"养生之道"。又如《素问·上古天真论》云："上古之人，其知道者，法于阴阳，和于术数，食饮有节，起居有常，不妄作劳，故能形与神俱，而尽终其天年，度百岁乃去。"此处的"道"，就是养生之道。

需要强调的是，能否健康长寿，不仅在于能否懂得养生之道，更为重要的是能否把养生之道贯彻应用到日常生活中去。

此后，历代养生家根据各自的实践，对于"养生之道"都有着深刻的体会，如唐代孙思邈精通道、佛之学，广集医、道、儒、佛诸家养生之说，并结合自己多年丰富的实践经验，在《千金要方》《千金翼方》两书中记载了大量的养生内容，其中既有"道林养性""房中补益""食养"等道家养生之说，也有"天竺国按摩法"等佛家养生功法。这些不仅丰富了养生内容，也使得诸家传统养生法得以流传于世，在我国养生发展史上，具有承前启后的作用。

宋金元时期，中医养生理论和养生方法日益丰富发展，出现了众多的养生专著，如宋代陈直撰《养老奉亲书》，元代邹铉在此书的基础上继增三卷，更名为《寿亲养老新书》，其特别强调了老年人的起居护理，指出老年之人，体力衰弱，动作多有不便，故对其起居作息、行动坐卧，都须合理安排，应当处处为老人提供便利条件，细心护养。在药物调治方面，老年人气色已衰，精神减耗，所以不能像对待年轻人那样施用峻猛方药。其他诸如周守忠的《养生类纂》、李鹏飞的《三元参赞延寿书》、王珪的《泰定养生主论》等，也均为养生学的发展做出了不同程度的贡献。

明清之际，先后出现了很多著名养生学家和专著，进一步丰富和完善了中医养生学的内容，如明代高濂的《遵生八笺》从气功角度提出了养心坐功法、养肝坐功法、养脾坐功法、养肺坐功法、养肾坐功法，又对心神调养、四时调摄、起居安乐、饮馔服食及药物保健等方面做了详细论述，极大丰富了调养五脏学说。清代尤乘在总结前人经验的基础上编著《寿世青编》一书，在调神、饮食、保精等方面提出了养心说、养肝说、养脾说、养肺说、养肾说，为五脏调养的完善做出了一定贡献。在这一时期，中医养生保健专著的撰辑和出版是养生学史的鼎盛时期，全面地发展了养生方法，使其更加具体实用。

综上所述，在中医理论指导下，先哲们的养生之道在静神、动形、固精、调气、食养及药饵等方面各有侧重，各有所长，从不同角度阐述了养生理论和方法，丰富了养生学的内容，强调形神共养、协调阴阳、顺应自然、饮食调养、谨慎起居、和调脏腑、通畅经络、节欲保精、益气调息、动静适宜等，使养生活动有章可循、有法可依。例如，饮食养生强调食养、食节、食忌、食禁等；药物保健则注意药养、药治、药忌、药禁等；传统的运动养生更是功种繁多，如动功有太极拳、八段锦、易筋经、五禽戏、保健功等，静功有放松功、内养功、强壮功、意气功、真气运行法等，动静结合功有空劲功、形神桩等。无论选学哪种功法，只要练功得法，持之以恒，都可收到健身防病、益寿延年之效。针灸、按摩、推拿、拔火罐等，也都方便易行，效果显著。诸如此类的方法不仅深受我国人民喜爱，而且远传世界各地，为全人类的保健事业做出了应有的贡献。

本套丛书选取了中医药学发展史上著名的养生专论或专著，加以句读和注解，其中节选的有《黄帝内经》《备急千金要方》《千金翼方》《闲情偶寄》《遵生八笺》《福寿丹书》，全选的有《摄生消息论》《修龄要指》《摄生三要》《老老恒言》《寿亲养老新书》《养生类要》《养生类纂》《养生秘旨》《养性延命录》《饮食须知》《寿世青编》《养生三要》《寿世传真》《食疗本草》。可以说，以上这些著作基本覆盖了中医养生学的内容，通过阅读，读者可以在品味古人养生精华的同时，培养适合自己的养生理念与方法。

当然，由于这些古代著作成书年代所限，其中难免有些糟粕或者不合时宜之处，还望读者甄别并正确对待。

翟双庆

2017 年 3 月

编写说明

　　《福寿丹书》作者龚居中，字应圆，号如虚子、寿世主人，豫章云林（今江西金溪县）人。生于明末清初，具体生卒年不详，曾供职于太医院，明代著名的医家、道家养生家，擅长治疗肺病，著有《红炉点雪》（又名《痰火点雪》）、《福寿丹书》《内科百效全书》《外科百效全书》《女科百效全书》《小儿痘疹医镜》《幼科百效全书》等著作。《福寿丹书》上承汉代四时养生论，东晋葛洪"藉众术之共成长生"的修身观，中取初唐孙思邈的养性、服食原则，宋代以来内丹养生思想，下摘张三丰、朱权等人摄生之要，是我国著名的养生学典籍。主要内容如下：一福安养篇，主要阐述衣、食、住、行、宜忌与长寿之关系；二福延龄篇，载诸仙修炼图势及秘诀；三福服食篇，载录有关抗老防衰、益寿延龄的食疗、食养方；四福采补篇，介绍吕祖采补延年秘篆与房中养生至要；五福玄修篇，授气功、炼丹之术，乾坤交媾之法；六福清乐篇，宣传清乐之乐；脏腑篇，论述脏腑对人体的重要性与保护之方。本次注释选取的是六卷本，本书以贴近生活、切于实用为宗旨，选取了原著一福安养篇、三福服食篇及四福采补篇。本书中配有白话注解，为方便读者阅读理解，序言中出现的原著脱落之字以"□"示意，原著中脱落字较多的内容未收录。另外，由于本书成书较早，有些内容还需读者甄别，选取精华。

编者

2017 年 1 月

序
一

盖闻福不可以苟得[1]，寿不可以幸致[2]，岂天之啬[3]于人哉，实人之自啬耳。何也？贫穷拂郁者，固无所得福。即富贵荣显固无由致寿者，又以享用大过而不能得全福。辛勤征逐者，固无由致寿。而安居清逸者，又以利欲撄[4]神而不能致寿。

注

①苟得：以不正当的手段而取得。
②幸致：侥幸得到。
③啬：音sè，小气，该用的财物舍不得用。
④撄：接触，触犯。

此福寿之萃[1]于人者不多见也，其知惜福保寿[2]者乎。何谓惜在养德，在寡取？无害人之心，即

1

是养德；无利己之念，即是寡取。而其要求于存心
□□□□□□□□□□□□□□□□□□□[3]是窒欲，不溺
情于夭冶，即是取□□其要先于养气，此福寿之丹
所由作也。

注

①萃：聚集。
②惜福保寿：珍惜福禄，保全寿命。
③□：原缺，下同。

　　予友应圆龚君，博极群书，雅擅名物，其以应
圆为号，盖真有执圜中以应无穷者。兹[1]集名家群玉[2]，
类成一册，名曰《福寿丹书》。而分其类曰安养者，
所以[3]示知，生而知患之所由生，则可长保而养斯安。

注

①兹：现在。
②群玉：本为传说中古帝王藏书册处。后用以称帝
　王珍藏图籍书画之所。
③所以：所用，用来。

　　曰延龄者，所以示颓龄之源[1]，而知延之之道，
则颓无由致而龄可延。至若服食之方，人皆习为日
用之常，而不知杯酒鸩毒，枕席□人皆以为槽粕。
盖乃采补[2]之□人皆视为纵欲之符，而不知生门死户，
火龙水虎，则采补为唾余矣。

注

①颓龄之源：败坏、消耗寿命的根源。
②采补：汲取他人元气、精血以补益己身。

　　其曰玄修，虽非众好①，结慕道②之士，遍求弗
得其要领，而此篇独穷其旨趣，身铅心汞定水慧火，
片晌③可以凝结，触目而自豁然矣。《清乐》一篇，
尤为顶针盖世，人知鲜衣美食，歌童舞女，撞钟击
鼓之为乐，而不知色令目盲，音令耳聋，味令口爽。
孰与夫逍遥彝鼎图史之间，怡情风月山水之趣，倦
则一榻侣羲皇，行则朗吟宽岁月？自非应圆君特标
其旨，阐其玄。

注

①虽非众好：虽然不是平常人的喜好。
②慕道：宗教用语，渴慕真道、追求真理的意思。
③晌：原文作"响"，据文意改，即片刻。

　　而大同之世①，人何由知福之得寿补之所由致哉。
录成后示予属予弁予，愧道未甚得其真苓②，何敢肆
焉侈谈③。第交其人，见其书不觉心旷神怡，蔼然而
有得也。且得拜应圆，茅塞之开矣，又何敢无说而
处此，聊书数语以赠，庶域中有大观当不以予言为
谬矣，谨为序。

注

①大同之世：就是在天下为公的条件下，选贤举能

　　使得社会不用管理就能安定。

②苓：通"领"，要领。

③侈谈：不切实际地谈论。

　　　　　　　　天启甲子仲夏上浣银台文林郎筠

　　　　　　　　阳伯受教 祜拜书

序
二①

　　予亦吏隐者，寓迹簿书，栖心溟涬②，退食③自公，委蛇多暇，辄辟静室以居，伏读养生家言，恍然而悟，原与孟氏《养气篇》互相发明。其所云"喉息踵息"，即孟氏旦气夜息之说是也。此理不分仙凡，宁分宦隐。尝偶句云：着意寻丹，静中欲动，玄犹俗；因时觅息，忙里偷闲，吏亦仙。

注

①序二、序三、序四，天启本无，据崇祯本补。
②溟涬：不着边际。
③食：俸禄，此处为官职。

　　非敢妄意①神仙幻化，实欲证孟氏家法耳。忽抽架上一编②阅之，为《万寿丹书》，所论精气神三宝，

1

及内外、铅汞、吐纳、调息之说甚备。循其姓氏，则龚生应圆，且同为云林人，随自诧云：里有异人，三十年而不遇，果藏形灭影之徒欤！而梓③里不以名著，时托迹漫游于秣陵、维扬间，与诸名公相订正。

注

①妄意：臆测，妄想。

②一编：一本书。

③梓：指故里。

动以岁月计，多方踪迹①，终不可得。迩来②建南客有至自潭城者，为予道：书林里一人颇崎③，似儒流④，亦似散人，似大医王，又似玄宗主，包涵无垠，莫可名状。予心知其为应圆也。已物色之，果然，爰招至署中，与宾泰曲星辈纵横辨析，娓娓如峡泉不竭。

注

①踪迹：寻找他的行踪。

②迩来：近来。

③崎：通"奇"，奇异。

④儒流：儒士之辈。

始知应圆初习举子业，能属文，髫年善病①，因弃而学医。医固儒术也，儒者，善养气，不讳言玄门②，于是究心丹诀，漆叶青黏，较《黄庭内景》等无有二。大率其书多根抵于儒，故识正大而说平易，不为鉴空语怪荒谬难行之事，以诳世愚俗，且哀众生夭扎③汲汲，欲引之长年，意孔嘉矣。而书复朗然开涤，雅俗共晓，不必问蜩与鸡，一见可决是非，仁心而济以仁术者乎！

注

①髫年善病：幼年容易得病。
②玄门：《老子》言："玄之又玄，众妙之门。"
　　后以"玄门"指道教。
③扎：疑为"折"。

　　夫二十三家，各有一子训，同时并到，为是形到，为是神到，乃知人人有仙骨①，人人有真丹，自有而不自认②，不得不取诸方士以证之。试按入门之法与究竟之方③，则应圆其最著矣。予既喜其发覆，适谐夙好，兼欲并跻一世于仁寿而无从，必假此为津梁④，奚敢私诸蔡帐，故为鉴定，序行之。

注

①仙骨：道教用语。成仙的资质。
②自有而不自认：自己有而自己不能认识到。
③究竟之方：有深入研究的方法。
④津梁：桥梁。

崇祯庚午岁长至日

赐进士　中奉大夫　福建布政使司　右布政使

3

前按察司按察使　钦差整饬建南兵备　奉敕督理通
省粮饷道　酉戌乡会同考试官　虞桂绍龙撰

序
三

　　始皇入海求神仙之药，古今谬之①，虽然，岂谬也哉？帝亦聪明之主也，岂智不若②后人，而固漫信方士也者。盖修仙实有三等，有天仙，有水仙，有地仙。天仙之道，能变化飞升也，惟上士③能学之。以身为铅，以心为汞，以定为水，以慧为火，在片晌之间，可以凝结，十月成胎，本无卦爻，亦无斤两，可以心传之。

注

①谬之：认为他是不对的。
②不若：不如。
③上士：指贤能之士。

水仙之道，能出入隐显①也，在中士可学。以气为铅，以神为汞，以午为火，以子为水，在百日之间，可以混合，三年成象，虽有卦爻，亦无斤两，可以口传之。

地仙之道，能留形住世②也，即庶士皆可以学。以精为铅，以血为汞，以肾为水，以心为火，在一年之间，可以融结，九年成功，既有卦爻，又有斤两，故以文字传之。

注

①隐显：隐没与显现。
②留形住世：保留形体，留存于世间。

善度人者，取其皆可以学者言焉，而后其说可以久存而不废其道，可以济世而不误。凡此非关吏之臆言得之泥丸①所论者，如是迄今执《万寿丹书》所论而证之，实千载而一符，然后知此道原不谬妄，亦人所以求之者，未得真实涂②径耳，请以是书告之。

注

①泥丸：脑神的别名。
②涂：通"途"，方法。

辛未季春闽关首吏里人郭之祥漫言于潭阳公署

序四

　　夫旗常竹帛都温席厚缘身而有也，身又缘生而有者也。惟上古至人，淡于一切声色，游娱①不妄作劳，以故不谙黄白抽添之旨，年法亦逾期颐。乃今不然，以酒为浆，嗜欲如狂，七情柴②其内，万事梏③其外，醒之以飞扬幻妄，俱属无益之伎俩，而懵懵也。是奚异青蝇嗜汁以忘溺，游蜂䑛蜜以丧命，粉蝶恋花以断魂哉！

注

①游娱：出游娱乐。
②柴：消耗。
③梏：禁锢。

又焉望其如熊之伸,鸟之导,以自引其寿考[1]哉!无他。龙虎、汞铅、卦爻、斤两之术不明,虽欲诱进其奚从焉。家应圆业儒攻医,于《参同》《悟真》诸奥义,妙有契授,桂瓖云方伯尝折节之。既镌其所撰《万寿丹书》行世,复邮寄嘱予序之[2],夫予即序哉!

注

[1]寿考:年高,长寿富贵。
[2]序之:为他写序。

展转[1]宦途,惟是国计民生,梦寐攫宁[2],即耳而提之曰:此夫黄白抽添也,熊伸鸟导也,龙虎汞铅卦爻斤两也,茫不省为何物,毋论弗能言,即言矣,亦隔靴搔痒[3]而已。第此深信之而不疑者,自谓序应圆书独无愧。何也?尝征之于屠肆矣。盛暑铄金[4],猪羊肉食悬已腐,醢以腌之,则经久可以不败,况于以宜身益命之大道吐纳于己,而有不令人长生久视耶!请与尊厥生者,共宝惜之。

注

[1]展转:即辗转。
[2]攫宁:指外物的扰乱。
[3]隔靴搔痒:隔着靴子搔痒。比喻说话作文不中肯,不贴切,没有抓住要点,或做事没有抓住关键。

④盛暑铄金：暑天炎热能熔化金属。

鉴猩龚廷献书

目录

安养篇
（一福）

安养篇引①

　　盖闻儒者之论，有曰人生实难②，则有生不可全之③。又道家者言，有曰患在有生，然既有生又安得不全之。故养重已世，自离道知生之为患，而愈人于患，知生之难，而不自护其为难，于是近者④溺于日用饮食之中，茫不思性命之谓何。其远者又脱焉日用饮食之外，以语玄论虚一无当耳。夫日用饮食之中，道之流存也。

注

①"安养篇引"天启本脱。据抄本及崇祯本校补。
②实难：充满困难。

1

③全之：使之保全。
④近者：现在的人。

就日用饮食之中，适其宜，慎其动，节其用，以求合于至人之修，即为道之所榷也。乃上之富贵艳腴，精神销于酒色，视听惑于歌舞①，其财力有余可以自养，而不欲为养式②之中；处饶乏事，畜劳其外，丰美旋其内。虽财力仅可以自养而不暇③为养。下之冻饿相迫，疲形竭虑，岁月耗荡，顷刻无息，便欲自养而不能矣。能不痛哉！

注

①视听惑于歌舞：视觉、听觉被歌舞迷惑。
②式：同"贰"。
③不暇：没有空闲，来不及。

夫虽高达人士，超出世味，独忧性命。在富贵，可瞥尔①遗弃，自取恬适；在营逐②，可划然中止，别求生活；在贫困，可随寓自得。不复念境以求于物，则人人可至于道。而为道之法，刻刻可行③，百凡病患，亦可却邪而不至于患。是以取今昔贤达所论，尽用动息之际，卫生之论，保持之术，萃而为篇，以安养名。

注

①瞥尔：突然，迅速地。

②营逐：追逐忙碌。

③刻刻可行：时时刻刻都可以运行。

应圆题

居处

如虚子曰：山林深远，固是佳境，独处则势孤[1]，人稠则喧杂。在人野相近，心远地偏，背山临流，气候高爽，土地良沃，泉水清美，如此得十亩平坦处，便可构居。若有人力[2]，可二十亩，更不得广，广则营为关心，或似产业，尤为烦也。若得左右映带[3]，冈峦形胜，最为上地，地势好，则居处安。

注

①独处则势孤：独自居住则势力单薄。

②人力：精力体力。

③映带：景物互相衬托。

广惠子曰：看地形向背，择取好处，立正堂三间为寝室，梁长柱高，椽上著栈[1]，栈上着泥，俟泥干，以瓦盖之。若无瓦，草盖，令厚三尺，则冬温夏凉。四面筑墙不然堑垒[2]，务令坚厚，断风隙。屋西作一格子房，以待客。客至引坐，勿令入寝房，及见药室，恐外来者有秽气[3]，损人坏药故也。

注

①栈：竹木编成的遮蔽物。

②堑垒：深壕高垒的防御工事。

③秽气：不洁的气体。

堂后立屋两间，每间为一房门，令牢固。一房著①药物，更造一立柜，高脚为之②；天阴雾气，柜下一少火③，若江北，则不须火也。一房著药器，地上安厚板，板上安器著地土气，恐损正屋。

注

①著：同"贮"，贮存。
②高脚为之：给立柜做高脚垫起。
③少火：小火。

东去①屋十步，造房三间，南间作厨，北间作库，库内东墙，施一棚两层，高八尺，长一丈，阔②四尺，以安③食物；必不近正屋，近正屋，则恐烟气及人，兼虑火烛，尤宜防慎。于厨东作屋二间，为弟子家人寝处。于正屋西北，立屋二间通之，前作格子，充料理晒曝药物，以篱院隔之。

注

①去：离。
②阔：宽。
③安：安放。

又于正屋后三十步外，立屋二间，椽梁长壮①，柱高间阔，以安药炉，更以篱院隔之，外人不可至也。西屋之南，立精屋②一间，安功德克念诵入静之处。中门外水作一池，可半亩余，深三尺，水常令满，种芙蕖菱芡③。绕池岸，种甘菊花，既堪采食，兼可阅目怡闲也。

注

①橡梁长壮：木橼和房梁长大粗壮。
②精屋：精致的房间。
③芙蕖菱芡：莲花、菱角和芡实。

如虚子曰：鸡鸣时起，就卧中①导引。导引讫，栉②漱即巾，巾后正坐，量时候寒温，吃点心饭，若粥等。若服药者，先饭食，复吃药酒。消息讫，入静、烧香、静念。不服气者，亦可念诵，洗雪心源，息其烦虑③。良久，事讫即出，徐徐步庭院间散气，地湿则勿行，但屋下东西步令气散。

注

①卧中：被子中。
②栉：梳头。
③息其烦虑：平息心中的烦恼、忧虑。

家事付与儿子①，不得关心。所营退居，去家百里五十里，但时知平安而已。应缘居所要，并令子弟支料顿送②，勿令数数往往来惯闹③也。一物不得在意营之，平居不得嗔，不得大语、大叫、大用力，饮酒至醉，并为大忌。

注

①儿子：儿子和孙子。

②顿送：隔一段时间送一次。

③愦闹：混乱喧闹。

四时气候，和畅①之日，量其时节寒温，出门行三里二里，及三百二百步为佳，量力行②，但勿令气乏气喘而已。亲故邻里，来相访问，携手出游百步，或坐，量力，宜谈笑简约，其趣才得欢适，不可过度。人性非合道者，焉能无闷，闷则何以遣之③?

注

①和畅：和暖舒适。

②量力行：衡量本身的能力而行走。

③遣之：消遣苦闷。

还须畜①数百卷书，易老庄等，闷来阅之，殊②胜闲坐。衣服但粗缦可御寒暑而已。第一勤洗浣，以香沾之。身数沐浴，务令洁净，则神安道胜也。所将左右供使之人，或得清净弟子，精选小心少过谦谨③者，自然事闲，无物相恼，令人气和心平也。凡人不能绝嗔，得无理之人易生嗔喜，妨人道性。

注

①畜：用"蓄"。

②殊：特别，很。

③谦谨：谦和谨慎。

如虚子曰: 屋宇宅院，成后不因①崩损，虽有修造，乃妄动土，二尺以下，即有土气慎之为佳。初造屋成，

7

恐有土木气，待泥干后，于庭中醮祭讫，然后择良日入居。居后明日^②烧香，结界发愿，愿心不退转，早悟道法，成就功德。

注

① 不因：不明原因。
② 明日：第二天。

药无败坏，结界后，平旦^①以清水漱口，后东南方左转，诵言"紧沙迦罗"；又到西南角言，你自受殃^②。——如是，满七遍，盗贼皆息心，不为害也。或入山野，亦宜作此法。或在道路逢小贼作障难^③，即定心作降伏之意，咒言"紧沙迦罗，紧沙迦罗"，一气尽为度，亦自散也。

注

① 平旦：清晨。
② 受殃：受到殃及。
③ 障难：阻碍刁难。

此法是释门^①深秘，可以救护众生，大慈悲，故不用。令孝子、戈猎、鱼捕之人入宅，不用辄大叫唤。每种树木，量其便利，不须等闲^②漫种无益，柴炭等并年支，不用每日令人出入门巷，惟务寂然^③。

恐有土木气，待泥干后，于庭中醮祭讫，然后择良日入居。居后明日[2]烧香，结界发愿，愿心不退转，早悟道法，成就功德。

注

① 不因：不明原因。
② 明日：第二天。

药无败坏，结界后，平旦[1]以清水漱口，后东南方左转，诵言"紧沙迦罗"；又到西南角言，你自受殃[2]。——如是，满七遍，盗贼皆息心，不为害也。或入山野，亦宜作此法。或在道路逢小贼作障难[3]，即定心作降伏之意，咒言"紧沙迦罗，紧沙迦罗"，一气尽为度，亦自散也。

注

① 平旦：清晨。
② 受殃：受到殃及。
③ 障难：阻碍刁难。

此法是释门[1]深秘，可以救护众生，大慈悲，故不用。令孝子、戈猎、鱼捕之人入宅，不用辄大叫唤。每种树木，量其便利，不须等闲[2]漫种无益，柴炭等并年支，不用每日令人出入门巷，惟务寂然[3]。

注

①释门：即佛门。

②等闲：轻易，随便。

③惟务寂然：只追求安静淡然。

一三道人曰：凡居常独卧，欲为性命之学，以生死为忧者。须每未旦①，鸡未鸣，鸟未噪，人未动之先，阳气清盛，即宜起坐衾②中，收此气以自养，中者寿③，上者仙，即不获玄功者，亦于死后带得去。《东坡集》载老人曰：惟五更早起，可以勾当自家事，盖谓此。

注

①未旦：天没有亮。

②衾：被子。

③寿：延长寿命。

清介子曰：凡人居止之室，必须用密，勿令有细隙，致有风气得入。小觉有风，勿强忍久坐，必须急急避之。久居不觉使人中风，古来忽得偏风四肢不遂①，或角弓反张②，或失音不语者，皆由于此。是以大须周密，无得轻之，慎焉！慎焉！所居之室，勿塞井及水渎，令人聋盲。

注

①遂：原文作"随"，据文意改。

②角弓反张：项背高度强直，使身体仰曲如弓状的病症。

9

如虚子曰：若虚劳火病金伤之体，实犹敝室陋巷，倘若无趋避之策，风狂雨骤，其何以御之耶？盖肺主皮毛，司腠理①阖辟②，金受火贼③，则卫护敛固之令失权。六淫之邪，易乎侵袭，轻则入于皮肤，但为嚏唾涕咳诸候，惟以身表温暖。

注

①腠理：皮肤、肌肉的纹理。
②阖辟：闭合与开启。
③贼：侵袭。

腠理疏豁①，不干真气，或可消散。甚则入于经络，表有头疼发热，身痛脊强②，不即发汗，则必入里，而为潮汗、闭、涩、满、渴、谵③等症，不即下之，邪何以越？然以尪羸④之躯，几微之气，而复任此猖狂虚虚之祸，岂旋踵而至哉。噫！倘不慎起居，而或犯之，是亦促命之杀车锤也，慎之！

注

①疏豁：稀疏脱落。
②脊强：项背肌肉、经脉牵强。
③谵：指病中说胡话。
④尪羸：病势严重，身体瘦弱。

一三道人曰：居家常欲小劳①，但不可自强②所不堪耳。流水不腐，户枢不蠹③，运动故也。

①小劳：适当的劳作。

②自强：逞强。

③流水不腐，户枢不蛀：常流的水不发臭，常转的门轴不遭虫蛀，比喻经常运动，生命力才能持久，才有旺盛的活力。

饮食

如虚子曰：食噉须识罪福，不可为口腹损命。所有资身在药菜而已，料理如法，殊盖于人。枸杞、甘菊、术、牛膝、苜蓿①、商陆、白蒿、五加服石者，不宜吃商陆，以上药，三月以前，苗嫩时，采食之。或煮，或齑②，或炒，或腌，悉用土苏咸豉汁，加米等色，为之下饭甚良，蔓菁作齑最佳。

注

①苜蓿：读音 mù xū。
②齑：切碎，捣碎。

不断五辛者，春秋嫩韭，四时采薤甚益。面虽拥热①，其益气力，但不可多食，致令闷馈。料理有法，节而食之②；百沸、馎饦③、蒸饼及糕、索饼、起面等法。在《食经》中，白粳米、白粱黄、青粱米，常须贮积，支料一年。炊饭煮粥，亦各有法。

注

①拥热：使人发热。
②节而食之：有节制地食用。
③馎饦：读音 bó tuō，是中国的一种传统水煮面食。

并在《食经》中，绿豆、紫苏、乌麻，亦预宜贮，俱能下气①。其余食酱等，食之所要，皆须贮蓄。

若肉食者，必不得害物命，但以钱买②，犹愈于杀，第一戒慎勿杀。若得肉必须新鲜，似有气息③，则不宜食；烂脏损气，切须慎之！戒之！

注

①下气：使人体内气体下行。
②但以钱买：只用钱财买来的。
③气息：腐坏的气味。

一三道人曰：常读养生书，称肉补人，莫过乳酪，牸①牛当多畜之，然富贵始能至。有谓鸡毒在心，宜食肝而去心者，知道者②，常行之③，固日用要事也。彼谓万物之死，皆毒于肝者，未必然矣。

注

①牸：音 zì，雌性牲畜。
②知道者：知道其中的道理的人。
③常行之：经常用这种方法的。

吾祖好肝①，而八十无病，肝岂能害②哉。菜以蔓菁作齑至妙，又春韭四时薤，俱助肾气，不可常食。面养人③而益气，然胃气弱者难消。绿豆、紫苏、芝麻皆能下气，薄荷解热，俱当多蓄，以备日用。

注

①好肝：喜欢食用肝脏。
②害：有害。

13

③养人：滋养人的身体。

　　《抱朴子》曰：凡饮食宜节①，食欲数而少②，不欲顿而多，常欲令饱中饥、饥中饱耳。盖饱则伤肺，饥则伤气，咸则伤筋，酸则伤骨，故每学淡食。食当熟嚼③，使米脂入腹，当食须去烦恼（暴数为烦，侵触为恼）。

注

①宜节：应该有节制。
②食欲数而少：饮食应该多次而少量。
③熟嚼：仔细地咀嚼。

　　如食五味①，必不得暴嗔，多令人神惊夜梦飞扬。每食不用重肉②，喜生百病，常须少食肉，多食饭，及少菹③菜，并勿食生菜，生米小豆陈臭物。勿饮浊酒食面，使塞气孔，勿食生肉伤胃；一切肉，惟须煮烂，停冷食之。

注

①五味：即酸、苦、甘、辛、咸。
②重肉：多食肉。
③菹：音 zū，腌菜。

　　食毕，当漱口数过，令人牙齿不败口香。热食讫，以冷酢①浆漱口，令人口气常臭，作䘌齿病。又诸热食咸物后，不得饮冷酢浆水，喜失声成尸咽。凡热食汗出，勿当风，发痉②头痛，令人目涩多睡。每食讫，以手摩面及腹，令津液通流。食毕，当行步踌躇，行毕，使人以手③摩腹，上数百遍，则食易消，大益人，令人能饮食，无百病，然后有所修为快也。

注

①酢：同"醋"。
②痉：肌肉收缩、手脚抽搐的症状。
③手：原文作"粉"，据崇祯本改。

饱食即卧，乃生百病，成积聚。饱食仰卧，成气痞①作头风，触寒来者寒未解。食热食，成刺风②。人不得夜食。又云：夜勿过醉饱食，勿精思为劳苦事，有损。余虚损。人常须日在巳时③食，食讫，则不须饮酒，终身无干呕。勿食父母本命所属肉，令人命不长；勿食自己本命所属肉，令人魂魄飞扬；勿食一切脑，大损人。

注

①气痞：腹皮里微痛，心下痞满，不思饮食。
②刺风：风寒蕴滞生热，遍身如针刺。
③巳时：指上午9时至上午11时。

茅屋漏水堕诸脯肉上，食之成瘕①；约暴肉作脯不肯干者，害人；祭神肉无故自动，食之害人；饮食上蜂行住，食之必有毒害人。腹内有宿病②，勿食鲮鲤、鱼、肉，害人。湿食及酒浆，临上看视不见人物影者，勿食之，成痃③。若已食腹胀者，急以药下之。

注

①痃：积聚成形，聚散无常，推之可移，痛无定处。
②宿病：旧病。
③痃：中医学指发于夏令的季节性疾病，症状是微热食少，身倦肢软，渐见消瘦。

每十日一食葵，葵滑，所以通五脏壅气①，又是菜之主，不用合心食之。又饮酒不欲使多，多则速吐之为佳，勿令至醉，即终身百病不除。久饮酒者，腐烂肠胃，溃髓蒸筋，伤神损寿。醉不可以当风②向阳，令人发狂。又不可当风卧，不可令人扇凉，皆即③得病也。

注

①壅气：壅滞之气。
②当风：顶风，冒风。
③即：立刻，马上。

醉不可露卧，及卧黍穰中，发癞疮。醉不可强食，或发痈疽①，或发暗，或生疮。醉饱不可以走车马及跳踯。醉不可以接房，醉饱交接，小者面黚②，咳嗽，大者伤绝脏脉损命。凡人饥，则坐小便，若饱，则立小便，慎之无病。又忍尿不便，膝冷成痹③，忍大便不出，成气痔。小便勿努，令两足膝冷。大便不用呼气，及强努，令人腰疼目涩，宜任之佳。

注

①痈疽：发生于体表、四肢、内脏的急性化脓性疾患，
　　是一种毒疮。
②黚：音 gǎn，黑斑。
③痹：中医学指由风、寒、湿等邪气引起的肢体疼
　　痛或麻木的病症。

　　如虚子曰：夫饮食所以养生，过则伤脾，若过
极则亦所以戕生者也。何则？痰火之病，始于水涸
火炎金伤，金既受伤，则木寡于畏，其不凌脾者鲜
矣[1]。以脾受木贼，则运化之机自迟，而复不能节其
饮食，以致伤而复伤；轻则嗳腐吞酸[2]，重则痞满疼
痛，病体复加，有此则亦难乎。

注

①痰火之病，……其不凌脾者鲜矣：痰火这种病，
　　起始于肾水枯竭，肾水不能制约心火，则心火损
　　害肺金，肺金受损则无力制约肝木，肝木旺则侵
　　害脾土。
②嗳腐吞酸：嗳腐，嗳气兼有腐臭味；吞酸，胃内
　　酸水上攻口腔、咽溢，不及吐出而下咽。

　　其为治也，盖欲攻积则妨正，欲温中则动火，
过消导，则反损脾，三者之法，岂其宜乎！况人藉[1]
水谷之气以为养，土受木贼，则不能运化精微[2]，上

17

归于肺，输布五脏以养百骸。自是形容日减，肌肉日消，其人即能饮食，无乃食易而已，更何益耶？此调摄之一关也，可不谨哉。

注

①藉：同"借"。
②土受木贼，则不能运化精微：脾土收到肝木的侵害，就不能发挥运化精微的作用了。

一三道人曰：太饿伤脾，太饱伤气，盖脾藉于谷[①]，饥则水谷自运而虚脾，气转于脾，饱则脾以食充而塞气。故学道之士，先饥而食，所以给脾，食不充脾，所以养气。

《物理论》曰：谷气胜元气[②]，肥而不寿，元气胜谷气，瘦而多寿。养生家，使常谷气少，则百病不生，而寿永矣。

注

①脾藉于谷：脾的运化借助谷气的支持。
②元气：人体组织、器官生理功能的基本物质与活动能力。

又曰：五味不欲偏多[①]，酸多伤脾，苦多伤肺，辛多伤肝，咸多伤肾，凡伤久，即损寿。

道人蒯京，年二百七十八，而甚丁壮，言人当朝朝服食。玉泉琢齿[②]，使人有颜色，去三虫，而坚齿。玉泉者，口中唾也。朝旦未起，早漱津令满口，乃吞之，琢齿二七遍，名曰练精。

①五味不欲偏多：饮食五味不应该偏喜而过多食用。
②琢齿：即叩齿法。

稽康云：瓤岁①多病，饥年少疾，信哉不虚。是以关中土俗，好俭啬②，厨膳肴羞③，不过菹酱而已，其人少病而寿。江南岭表，其处饶足，海陆鲑鲔，无所不备，土俗多疾，而人早夭。

①瓤岁：丰收之年。
②俭啬：节俭。
③羞：通"馐"，美食。

北方仕子游宦至彼，遇其丰赡，恣口食啖①，夜长醉饱！四体热闷，赤露②眠卧，宿食不消，未逾期月，大小皆病，或霍乱、脚气、胀满、或寒热、疟痢、恶核③、丁腔④，或痈疽、痔漏，或偏风，猥退不知医疗，以至于死。凡如此者，比肩皆是。惟云不习水土，都不知病之所由。静言思之，可为太息。

①啖：读音 dàn，吃。
②赤露：赤裸。

③恶核：核生于肉中，形如豆或梅李，推之可动；
患处疼痛，发热恶寒的病症。

④腔：崇祯本作"奚"。

凡遇山水坞中出泉者，不可久居，饮食作瘿病①。
又深阴地，冷水不可饮，必作痎疟②。

注

①瘿病：以颈前喉结两旁结块肿大为基本临床特
征的病症。

②痎疟：音 jiē nüè，疟疾的通称。

如虚子曰：夫四气以酒为先者，盖以味甘适口，
性悍壮志①，宾朋无此，不可申其敬尔。然圣人以酒，
为人合欢。又曰：惟酒无量不及乱。若此观之，古
人制酒，惟欢情适况而已，可恣饮而剧②乎？今之贪
者，以酒为浆，以剧为常，必至酩酊③而后已。

注

①壮志：增加勇气。

②剧：甚也，这里为过度饮酒。

③酩酊：形容醉得很厉害。

凡一醉之间百事迥异，肆志颠狂①，或助欲而色
胆如天，或逞威而雄心若虎，或以新搜故，骂詈不
避亲疏②，或认假作真，斗殴无畏生死，或伤其天性，
或败坏人伦，乖名③丧德，无所不为，甚而忘形仆地，
促其天年者藉藉，酒之酷厉，奚啻④鸩螫⑤也哉！

①颠狂：即癫狂。
②骂詈不避亲疏：骂人不分辨是亲近还是疏远的人。
③乖名：攫取名利。
④奚啻：何止，岂但。
⑤鸩蝮：鸩，传说中的一种毒鸟。把它的羽毛放在
　酒里，可以毒杀人；蝮，蝮蛇，体色灰褐，有斑纹，
　头部略呈三角形，有毒牙。

　　况人既病水①，则火已荫②其焰矣。杯酒下咽，
即犹贮烬点以硝黄涸海燎原，其可量乎。盖酒之为
性，懦悍升浮，气必随之，痰郁于上，溺涩于下，
渴必恣饮寒凉，其热内郁，肺气大伤，轻则咳嗽齁喘，
重则肺痿痨瘵③。

①人既病水：人已经得了水肿的病。
②荫：被遮住。
③痨瘵：肺结核病，俗称肺痨。

　　观其大寒凝海，惟酒不冰，明其性热，独冠群物，
药家用之，惟藉以行其势，尔人饮多则体弊①神昏，
其毒可知矣。且曲中以诸毒药助其势，岂不伤中和，
损荣卫②，耗精神，竭天癸③，而夭夫人寿也。

①体弊：身体疲困。

②荣卫：荣指血的循环，卫指气的周流。
③天癸：即元阴、肾精，促进生殖功能的一种物质。

　　实实子曰：凡平旦点心饭讫，即自以热手摩腹，出门庭，行五六十步，消息之。中食后^①，还以热手摩腹，行一二百步，缓缓行，勿令气急。行讫，还床偃卧^②，四展手足，勿睡。顷之气定，便起正坐，吃五六颗苏煎枣，啜^③半斤以下，人参、茯苓、甘草等饮。觉似少热，即吃麦门冬、竹叶、茅根等饮。

注

①中食后：午饭后。
②偃卧：仰卧。
③啜：饮，吃。

　　量性将理，食饱不得急行，及饥不得大语，远唤人嗔喜^①，卧睡觉，食散后，随其事业不得劳心劳力。觉肚空，即须索食，不得忍饥；必不得食生硬、黏滑等物，多致霍乱。秋冬间暖^②裹腹，腹中微似不安，即服厚朴、生姜等饮，如此将息，必无横疾^③。

注

①嗔：怒，生气。
②暖：原文作"缓"，据抄本改。
③横疾：暴病。

调摄

彭祖曰：道不在烦，惟能不思衣食，不思声色，不思胜负，不思曲直[1]，不思得失，不思荣辱，心无烦，形无极，而兼之以导引行气不已[2]，亦可得长年，千岁不死。凡人不能无思，当以渐遣除之。

注

①曲直：是非善恶。
②已：停止。

彭祖曰：和神导气，当得密室，闭户安床，暖席高枕，正身偃卧。瞑目闭气于胸膈中，以鸿毛着鼻上而不动，经三百息，耳无所闻，目无所见，心无所思。如此，则寒暑不能侵，蜂虿[1]不能毒，寿三百六十岁。此邻[2]于真人也。每旦夕，旦夕者，是阴阳转换之时。

注

①虿：读音 chài，蝎子一类的毒虫。
②邻：接近。

凡旦五更初，暖气[1]至，频频眼闭，是上生气至，名曰：阳息而阴消。暮日入后，冷气至，凛凛然[2]时，乃至床坐睡倒，足下生气至。名曰：阳消而阴息。旦五更初，暖气至，暮日入后，冷气至。常出入天地日月，山川河海。人畜草木，一切万物，体中代谢，

23

往来无时，休息进退，如昼夜之更迭，如复水之潮汐，是天地消息③之道也。

注

①暖气：温暖之气。
②凛凛然：寒冷的样子。
③消息：消，减退；息，滋生，生长。

面向午，展两手于脚膝上，徐徐按擦肢节，口吐浊气，鼻引清气。凡吐者，去故气，亦名死气。纳①者，取新气，亦名生气。故《老子》经云：玄牝②之门，大地之根，绵绵若存，用之不勤，言口鼻天地之间，可以出纳阴阳死生之气也。

良久，徐以手左托，右托，上托，下托，前托，后托；瞑目张口，叩齿摩眼③，押头拔耳，挽发放腰，咳嗽发扬振动也。双作只作，反手为之用意，掣足仰振，数八十九十而止。

注

①纳：吸气。
②玄牝：读音 xuán pìn，对它的解释不统一，有天与地、鼻与口、上与下、父精与母血和肾、元神、黄庭中丹田、心之左右二窍等诸说。
③摩眼：指用两手掌擦热后拭摩两眼。

仰而徐徐定心，作禅观①之法，闭目存思，想见空中太和元气，如紫云成盖，五色分明，下入毛际，渐渐入顶，如雨初晴，云入山，透皮入肉，至骨至脑，渐渐入下腹中，四肢五脏，皆受其润。如水渗地，若彻，则觉腹中有声泪泪然。后专思存，不得外缘，斯须即觉元气达于气海，须臾则自达于涌泉②，则觉身体振动，两脚蜷曲，亦令床坐有声拉拉然。

①禅观：禅，是指集中意识后获得的心性统一和安定；观。是观想。
②涌泉：即涌泉穴，是足少阴肾经的常用腧穴之一，位于足底部。

　　则名一通二通，乃至日得三通五通，则身体悦怿，面色光辉，鬓毛润泽，耳目精明，令人食美，气力强健，百病皆去。五年十年，长存不忘①，得满十万通，则去仙不远矣。人身虚无，但有游气，气息得理，即百病不生。若消息失宜②，即诸疴③竟起。

①长存不忘：经常锻炼而不间断。
②消息失宜：人体气息消长失衡。
③疴：读音 kē，重病。

　　善摄养者①，须知调气，调气方疗万病大患，百日生眉须。自余②者，不足言也。凡调气法，夜半后，日中前，气生得调；日中后，夜半前气死不得调。调气之时，则仰卧，床铺厚软，枕高下，其身平，

25

舒手展脚，两握大拇指节，去身四五寸，两脚相去四五寸，数数叩齿，饮玉浆③，引气从鼻入腹，足则停止有力，更取久住气闷，从口细细吐出尽，远从鼻细细引入，出气一如前法。

注

①善摄养者：善于养生的人。
②余：通"娱"。
③玉浆：口中生出的津液。

闭口以心中数数，令耳不闻，恐有误乱，兼以手下筹，能至千，则去仙不远矣。若夫阴雾恶风，猛寒，勿取气也。但闭之。若患寒热，及卒患痛疽，不问日中疾患，未发前，一食间①即调。知其不得好瘥②，明日依式更调之。

注

①间：原文作"问"，据文意改。
②瘥：疾病。

按摩

天竺国按摩，此是婆罗门法

两手相捉扭捩①，如洗手法，两手浅相叉②，翻覆向胸，两手相捉其按脏③左右同。以手如挽五石力弓，左右同。两手相重按脏，徐徐捩身，左右同。作拳向前筑，左右同。作拳却顿，此是开胸，左右同。如拓石法，左右同。以手反捶背上，左右同。

注

①捩：读音 liè，扭转。
②叉：原文作"义"，通假，以下统改。
③脏：通"髀"，大腿。

两手据地，缩身曲脊，向上三举。

两手抱头，宛①转脏上，此是抽肩。

大坐斜身偏欹②如排山，左右同。

大坐伸两脚，即以一脚向前虚掣③，左右同。

两手拒地回顾，此虎视法，左右同。

注

①宛：弯曲，曲折。
②欹：倾斜，歪向一边。
③掣：拉，拽。

立地反拗身三举①。

两手急相叉②，以脚踏手中，左右同。

27

起立以脚前后虚踏，左右同。

大坐伸两脚相当，手勾所伸脚着膝中，以手按之，左右同。

上十八势，但是老人日别③能依此三遍者一月，后百病除，行及奔马，补益延年，能食，眼明轻健，不复疲乏。

注

①拗身三举：转身三次。

②相义：交叉。

③日别：每天分别。

老子按摩法

两手捺①胜，左右捹身，二七遍。

两手捻胜，左右纽肩，二七遍。

两手抱头，左右纽腰，二七遍。

左右掉头②，二七遍。

两手托头，三举之。

一手抱头，一手托膝③，三折④，左右同。

一手托头，一手托膝，从下向上三遍，左右同。

两手攀头下，向三顿足，两手相捉，头上过，左右三遍。

两手相叉，托心前推却挽，三遍。

两手相叉，着心三遍。

①捺：用手按。

②掉头：转头。

③托膝：用手撑着膝盖。

④三折：指头与躯干、躯干与大腿、大腿与小腿形成的三个弯曲处。

　　曲腕筑①肋挽②肘，左右亦三遍。左右挽，前后拔③，各三遍。

　　舒手挽项，左右三遍。

　　反手着膝，手挽肘覆手着膝上，左右亦三遍。

　　手摸肩，从上至下使遍，左右同。

　　两手空拳筑④，三遍。

　　两手相叉反复搅⑤，各七遍。

　　外振手三遍，内振手三遍，覆手振，亦三遍。

　　摩纽指三遍，两手反摇三遍。

　　两手相叉，上下纽肘无数，单用十呼。

　　两手相耸三遍。两手下顿三遍。

①筑：叩击。

②挽：摩擦熨烫。

③左右挽，前后拔：左右侧身运动和仰体、俯身运动。

④两手空拳筑：类似如今的冲拳。

⑤搅：搅拌动作。

　　两手相叉，头上过，左右伸肋十遍。

29

两手拳，反背上，掘脊上下，亦三遍。掘，揩之也。

两手反捉①上下直脊，三遍。

覆掌搦②腕，内外振，三遍。

覆掌前耸，三遍。

覆掌两手相叉，交横三遍。

覆掌横直即耸，三遍。

若有手患冷，从上打至下，得热便休。

舒左脚，右手承之，左右捺脚，从上至下直脚二遍，右手捺脚亦尔。

注

①捉：抓，握。

②搦：读音 nuò，握，持。

前后捺足，三遍。

左捺足，右捺足，各三遍。

前后却捺足，三遍。

直脚三遍，纽腱三遍。

内外振脚①，三遍。若有脚患冷者，打热便休。纽腱以意多少顿足，三遍。却直脚三遍。

虎据②左右，纽肩三遍。推天托地，左右三遍。

左右排山，负山，板木，各三遍。

舒手直前顿，伸手三遍。

舒两手两膝，亦各三遍。

舒脚直反顿，伸手三遍。

捺内脊外脊，各三遍。

①振脚：用手拍打脚部。

②虎据：即"虎踞"，如虎蹲踞。

啬神

老子曰：人生大限百年，节护者可至千岁。如膏，小炷之与大炷。众人大言，而我小语。众人多烦，而我小记。众人悖暴①，而我不怒。不以俗事累意，不临时俗之仪，淡然无为，神气自满，以此为不死之道，天下莫我知也。勿谓暗昧②，神见我形，勿谓小语，鬼闻我声。犯禁满千，地收其形。

注

①悖暴：背理凶暴。
②暗昧：不光明磊落，不可告人之阴私、隐私。

人为阳善①，人自报之，人为阴善②，鬼神报之。人为阳恶，人自治之，人为阴恶，鬼神治之。故天不欺人，示之以影③。地不欺人，示之以响。人生天地气中，动作喘息，皆应于天，为善为恶，天皆鉴之。

注

①阳善：行善而被世人所知。
②阴善：行善为善而不为人知。
③示之以影：用影子来告示大家。

人有修善①积德，而遭凶祸者，先世之余殃②也。为恶犯禁，而遇祥福者，先世之余福也。故善人行不择日，至凶中得凶中之吉，入恶中得恶中之善。恶人行动择时，至吉中反得吉中之凶，入善中反得

一福

善中之恶，此皆自然之符^③也。

注

①修善：行善。
②余殃：遗留下的灾祸。
③符：事物的标记、记号。

　　中正子曰：既屏^①外缘，须守五神心、肝、脾、肺、肾，从四正言、行、坐、立，最不得浮思忘^②念，心想欲事，恶邪火起。故孔子曰，"思无邪"也。常当习"黄帝内视法"，存想思念，令见五脏，如悬磬^③，五色了了分明，勿辍。

注

①屏：除去，排除。
②忘：通"妄"。
③悬磬：悬挂着的磬。

　　仍于每旦初起，面向午^①，展两手膝上，心眼^②观气上入顶，下达涌泉，旦旦^③如此，名曰迎气。常以鼻引气，口吐气，小微吐之不得开口，复欲得出气少，入气多，每欲食，进气入腹，每食以气为主也。

注

①午：正南方。子、午、卯、酉，各指北、南、东、西。
②心眼：内视之眼。
③旦旦：每天早晨。

33

凡心有所爱，不用深①爱，心有所憎，不用深憎，并皆损性伤神。亦不用深赞，不用深毁，常须运心于物平等，如觉偏颇，寻改正之。居贫勿谓②常贫，居富勿谓常富，居贫富之中，常须守道，勿以贫富易志改性，识达道理③，似不能言，有大功德，勿自矜伐④。美药勿离手，善言勿离口，常以深心至诚，恭敬于物，慎勿诈善，以悦于人。

注

①深：过分地，过度地。
②谓：说。
③道理：知道其中的道理。
④矜伐：恃才夸功，夸耀。

终身为善，为人所嫌①，勿得起恨②；事君尽礼，人以为谄③，当以道自平其心。道之所在，其德不孤，勿言行善不得善报，以自怨仇。居处勿令心有不足，若有不足，则自抑之，勿令得起人知止足，天遗其禄。

注

①嫌：嫌弃。
②恨：遗憾，后悔。
③人以为谄：他人认为是谄媚。

所至之处，勿得多求，多求则心疲而志苦。若夫人之所以多病，当由不能养性，平康之日，谓言常，然纵情恣欲①，心所欲得，则便为之，不拘禁忌，欺罔幽明[2]，无所不作，自言适性，不知过后一一皆为病本。

注

①纵情恣欲：不能自我约束。
②幽明：人与鬼神。

及两手摸空，白汗流出[1]，口唱皇天，无所逮及，皆以生平粗心，不能自察，一至于此。但能内省身心，则自知见行之中，皆畏诸病，将知四百四病，身手自造，本非由天。及一朝病发，和缓[2]不救，方且诽谤医药无效，神仙无灵。故有智之人、爱惜性命者，当自思念，深生耻愧，时诫身心，常修善事也。

注

①两手摸空，白汗流出：都是重病的样子。两手摸空，为神志不清之态；白汗，气脱证之大汗。
②和缓：指春秋时代秦国名医医和、医缓。

黄帝问曰：余闻上古之人，春秋皆度百岁，而动作不衰，今时之人，年至半百，而动作皆衰者，时代异邪，将人失之耶？岐伯曰：上古之人，其知道者，法于阴阳[1]，和于术数[2]，饮食有常节，起居有常度，不妄作劳，故能形与神俱，而尽终其天年，度百岁乃去。

注

①法于阴阳：能够效法天地之间阴阳变化的规律进行养生。

②和于术数：适当地运用引导、气功等方法以调养精神。

今时之人不然也，以酒为浆，以妄①为常，醉以入房，以欲竭其精，以耗散其真，不知持满，不时御神，务快其心，逆于生乐，起居无节，故半百而衰也。夫上古圣人之教下也，谓之虚邪贼风②，避之有时，恬澹虚无③，真气从之，精神守内，病安从来？

注

①妄：荒诞，不合理。

②虚邪贼风：泛指四时一切反常的气候变化。

③恬澹虚无：指内心安闲清静，没有杂念。

《抱朴子》曰：房中之要，上士知之，可以延年除病，其次不以自伐①。不得其术者，古人方之于凌杯以盛酒，羽苞②之蓄火。又才所不逮，而强思之，伤也；力所不胜，而强举之，伤也，深忧重患，伤也，悲哀憔悴，伤也，喜乐过度，伤也，汲汲③所欲，伤也；戚戚④所患，伤也；久谈言笑，伤也；寝息失时，伤也，挽弓引弩，伤也；沉醉呕吐，伤也；饱食即卧，伤也；跳走喘乏，伤也；欢笑哭泣，伤也。

①自伐：自己败坏。

②羽苞：羽，羽毛；苞，花托下面像叶的小片。

③汲汲：形容急切的样子，急于得到。

④戚戚：忧惧、忧伤的样子。

积伤至尽，尽则早亡。是以养性之士，唾①不至远，行不疾步，耳不极听，目不极视，坐不久处，立不至疲；先寒而衣，先热而解。不欲极饥而食，食不过饱，不欲极渴而饮，饮不过多。饥食过多，则成积聚②，渴饮过多，则成痰澼③。不欲甚劳，不欲甚佚④，不欲流汗，不欲多唾，不欲奔走车马，不欲极目远望，不欲多啖生冷，不欲饮酒当风，不欲数数沐浴。

①唾：吐口水。

②积聚：是腹内结块，或痛或胀的病证。

③痰澼：由饮水未散，在于胸腑之间，因遇寒热之气相搏，沉滞而成痰。

④佚：同"逸"。

广志远愿，不欲规造异巧。冬不欲极温，夏不欲极凉，不欲露卧星月，不欲眠中用扇。大寒大热，大风大雾，皆不欲冒①之。五味不欲偏多，故酸多则伤脾②，苦多则伤肺，辛多则伤肝，咸多则伤心，甘多则伤肾。此五味克五脏，五行③自然之理也。

①冒：接触，顶着。

②酸多则伤脾：酸入肝，食酸多则肝旺，肝旺则克
　　脾土。

③五行：即木、火、土、金、水。

　　凡言伤者，亦不即觉①也，谓久则损寿耳。是以
善摄生者，卧起有四时之早晚，兴居有平和之常制；
调剂筋骨，有偃仰②之方；祛疾闭邪，有吐纳之术；
流行营卫，有补泻之法；节宣劳佚，有予夺之要；
忍怒以全阴③，抑喜以养阳。

①即觉：立刻发觉。

②偃仰：沉浮或进退。

③全阴：保护阴液。

　　然后先服草木，以救亏缺，后服金丹，以定无穷。
养性之理，尽于此矣。夫欲快意任怀，自谓达识知
命，不泥异端，极性肆力，不劳持久者，闻此言也。
虽风之过耳，电之极目，不足喻也。虽身枯于留连①
之中，气绝于绮纨②之际，而甘心焉，亦安可告之以
养性之事哉？匪惟不纳，乃谓妖讹③也，而望彼信之。
所谓以明鉴急曚④瞽，以丝竹⑤娱聋夫者也。

①留连：耽于游乐而忘返。

②绮纨：本义为精美的丝织品，此处代指女性。

③妖讹：指怪诞乖谬之言。

④朦：原文作"朦"，据文意改。

⑤丝竹：泛指音乐。

虚虚子曰：善摄生者，常少思，少念，少欲，少事，少语，少笑，少愁，少乐，少喜，少怒，少好，少恶，行此十二少者，养性之都契①也。

注

①都契：要义、要领。

多思则神殆①，多念则志散，多欲则志昏，多事则形劳，多语则气乏，多笑则脏伤，多愁则心慑，多乐则意溢，多喜则忘错昏乱，多怒则百脉②不定，多好则专迷不理，多恶则憔悴无欢。此十二多不除，则营卫失度，血气妄行，丧生之本也。惟有少无多者，几于道矣③。是知勿外缘④者，真人初学道之法也。若能如此，可居瘟疫⑤之中，无忧疑矣。

注

①殆：困乏，疲惫。

②百脉：全身血脉的总称。

③几于道矣：合乎于自然。

④外缘：指人与外界发生的各种接触与联系。

⑤瘟疫：感受疫疠之邪而发生的多种急性传染病的统称。

嗳气

如虚子曰：春三月，此谓发陈①。天地俱生，万物以荣，夜卧早起，广步于庭，被②发缓行，以使志生，生而勿杀，予而勿夺，赏而勿罚。此春气之应，养生之道也，逆之则伤肝。夏为寒变③，奉长者少。

注

①发陈：利用春阳发泄之机退除冬蓄故旧。
②被：通"披"，披散。
③夏为寒变：夏季就会发生寒性疾病。

夏三月，此谓蕃秀①。天地气交，万物华实，夜卧早起，毋厌于日，使志无怒，使华英②成秀，使气得泄，若所爱在外，此夏气之应，养长之道也，逆之则伤心。秋为痎疟，奉收者少，冬至重病。

注

①蕃秀：万物繁衍秀美，茂盛华秀的景象。
②华英：原意指花，此处为面貌。

秋三月，此谓容平①。天气以急，地气以明，早卧早起，与鸡俱兴②，使志安宁，以缓秋刑，收敛神气，使秋气平，毋外其志，使肺气清，此秋气之应，养收之道也，逆之则伤肺。冬为飧泄③，奉藏者少。

注

①容平：容，从容不迫；平，平和；经过春生、夏长后，
　秋天就从容地等待收获。

②兴：起来。

③飧泄：飧，音 sūn。指大便泄泻清稀，并有不消化
　的食物残渣。

　　冬三月，此谓闭藏。水冰地坼①，无扰乎阳，早
卧晚起，必待日光，使志若伏若匿，若有私意，若
已有得，去寒就温，毋泄皮肤，使气亟夺②，此冬气
之应，养藏之道也，逆之则伤肾。春为痿厥③，奉生
者少。

注

①坼：裂开。

②亟夺：快速地被夺走。

③痿厥：痿病兼见气血厥逆，以足痿弱不收为主症。

　　广惠子曰：一体之盈虚消息①，皆通于天地，
应于物类。故阴气壮，则梦涉大水而恐俱；阳气
壮则梦涉大火而蟠焆②，阴阳俱壮则梦生杀；甚
饱则梦与③，甚饥则梦取；是以浮虚为疾者，则
梦扬，沉④实为疾者，则梦溺，藉带而寝者，则
梦蛇鸟雀；衔发者则梦飞；心躁梦火；将病梦饮
酒歌舞，将衰梦哭。是以和之为始，治之为终，
静神灭想，此养生之道也。

福寿丹书

读经典 学养生

福寿丹书

FU
SHOU
DAN
SHU

一
福

注

①盈虚消息：充盈，亏虚，消散，滋生。

②蟠炳：同"燔炳"，燃烧之意。

③与：给。

④沉：原文作"沈"，据文意改。

实实子曰：善摄生者，无犯日月之忌，无失岁时之和。一日之忌，暮无饱食；一月之忌，晦①无大醉；一岁之忌，暮②无远行；终身之忌，暮无燃烛行房。暮常护气也。凡气冬至起于涌泉，十一月至膝，十二月至股，五月至腰，名三阳成。二月至膊，三月至项，四月至顶。纯阳用事，阴亦仿此。故四月、十月不得入房，避阴阳纯用事之月也。

注

①晦：农历每月的末一天，朔日的前一天。

②暮：年末。

每冬至日，于北壁下厚铺草而卧，云受元气。每八月一日以后，即微火暖足，勿令下冷无生意①，常欲使气在下，不欲泄于上。春冻未泮②，衣欲下厚上薄，养阳收阴，继③世长生。养阴收阳，祸则灭门。

注

①生意：生命气息。

②泮：散，解。

③继：崇祯本作"断"。

故云冬时天地气闭①，血气伏藏，人不可作劳②出汗，发泄阳气，有损于人也。又云：冬日冻脑，春秋脑足俱冻，此圣人之常法也。春欲晏卧③早起，夏秋欲侵夜乃卧，早起。

福寿丹书
读经典 学养生

FU
SHOU
DAN
SHU

一福

注

① 天地气闭：天地间精气固闭。
② 作劳：劳作，劳动。
③ 晏卧：晚睡。

冬欲早卧而晏起，皆益人①。虽云早起，莫在鸡鸣前，虽言晏起，莫在日出后。凡冬月忽有大热之时，夏月忽有大凉之时，皆勿受之。人有患天行时气②者，皆由犯此也。即须调气息，使寒热平和，即免患也。

注

① 益人：对人有益。
② 天行时气：因气候不正常而引起的流行病。

每当腊日①，勿歌舞，犯者必凶。常于正月寅日②，烧白发吉。凡寅日剪手甲，午日剪足甲，火烧白发吉。

注

① 腊日：腊八节，俗称"腊八"，即农历十二月初八。
② 寅日：中国古代以干支纪年，即用天干地支相互

43

配合为六十花甲，来记录年月日时。寅是十二地支之一，寅日就是地支为寅的日子，共有五个，轮流当值。

如虚子曰：夫气贵顺，而不贵逆，顺时百脉畅利①，逆则四体愆和②，若以火病，而复增一怒，则犹敝舰而横之波涛，鲜有不覆者乎。何也？以虚其虚，则阴阳乖戾，脏腑隔绝，其不危者鲜矣。

注

①畅利：流利。

②愆和：读音 qiān hé，是指失和。

且今之昧者①，但知怒能害人，殊不知贼人真气者有九，曰：怒则气上②，喜则气缓③，悲则气消④，思则气结⑤，恐则气下⑥，惊则气乱⑦，劳则气耗⑧，寒则气收⑨，热则气泄⑩。若此诸气，实人所自致者也。

注

①昧者：蒙昧无知的人。

②气上：气逆冲上。

③气缓：气机失常而表现为弛纵散涣的病理状态。

④气消：心肺之气消减。

⑤气结：气机留滞不行。

⑥气下：气机下陷。

⑦气乱：气机紊乱，失去正常的升降出入秩序。

⑧气耗：正气的耗损。

⑨气收：气机失常而主要表现为收敛闭郁，不能正常宣发输布的病理状态。

⑩气泄：正气疏散发泄。

况痰火之病，始于真气劳伤，肾阴亏损，而邪热乘虚协①之。故丹溪曰：气有余，便是火。然所谓有余者，非真气之有余，谓真气病，而邪火相协，或行而迅速，或住而壅滞，气火俱阳，以阳从阳，故阳愈亢而阴愈消，所谓阴虚生内热者以此。即如劳伤神志，心血方耗，肾水枯竭，君火②失令，相火③司权，熏烁肺金之意耳。

注

①协：协助。
②君火：君火为君，位上而明，专指心火。
③相火：一般认为，肝、胆、肾、三焦均内寄相火，而其根源则在命门。

况七情之气，惟怒最甚，故《经》曰：怒则血菀①于上。以其情动于中，气逆于上，动极生火，火载血上，错经妄行，越出上窍，故钻燧改②火，抚掌成声，沃火生沸，皆自无而有，实动极之所致也。意以一星之火，而致燎原之祸，气可逆乎。

注

①菀：充盈。
②改：疑为"取"。

如虚子曰：夫气贵舒而不贵郁，舒则周身畅利，郁则有脉愆和。故曰：喜则气缓。然缓者，固有徐缓畅利之义，但不及太过，皆能致息愆期。而况忧思郁结，宁不滞其气乎？气既壅滞，则郁而为火，是益为烁金①涸水之贻，人既病火，则身犹敝器矣。须着意护持，心当浑然无物，庶②可登之佳境。倘以世务营心，终日怏怏③，是欲蹈万古之长夜，宁非昧而不觉者乎？哀哉！

注

①烁金：熔化金属。
②庶：表示希望发生或出现某事，进行推测；但愿，或许。
③怏怏：不高兴，不满意。

46

保形

彭祖曰：每施泻，论导引以补其虚，不尔[1]血脉髓脑日损，致生疾病。饮酒吐逆，劳作汗出，以当风卧湿，饱食大呼，疾走举重，走马引强[2]，语笑无度，思虑太深，皆损年寿。是以为道者，务思和理焉。口耳乱心，圣人所以闭之；名利败身，圣人所以去之。天老曰：丈夫处其厚，不处其薄。当去礼去圣，守愚以自养，斯乃德之源也。

注

①不尔：不如此，不然。
②走马引强：走马，骑马疾跑，驰逐；引强，挽拉强弓。

彭祖曰：上士别床，中士异被[1]，服药百裹，不如独卧。色使目盲，声使耳聋，味使口爽，苟能节宣其宜适，抑扬其通塞者，可以增寿。一日之忌，暮无饱食；一月之忌，暮无大醉；一岁之忌，暮须远内[2]；终身之忌，暮常护气。夜饱损一日之寿，夜醉损一月之寿，一接[3]损一岁之寿，慎之。

注

①上士别床，中士异被：有上等修养的人与妻子分床而睡，有中等修养的人与妻子各盖一个被子。
②暮须远内：冬季不应行房事。
③一接：行一次房事。

清旦初，左右手摩交耳，从头上挽①两耳，又引发，则面气通流如此者，令人头不白，耳不聋。又摩掌令热以摩面，从上向下，二七遍，去鼾气②，令人面有光。又令人胜风寒时气，寒热头痛，百病皆除。

注

①挽：拉，牵引。
②鼾气：黑气。

老子曰：人欲求道，勿起五逆六不祥四凶。大小便向西一逆，向北二逆，向日三逆，向月四逆，仰视日月星辰五逆。夜半裸体一不祥，旦起嗔心①二不祥，向灶骂詈三不祥，以足内火四不祥，夫妻昼合②五不祥，盗师父物六不祥。

注

①嗔心：能造恶业而生苦果的忿恚之心。
②昼合：白天行房事。

旦起常言善事，天与之福，勿言奈何①及祸事，名请祸卧伏地大凶，以匙筋击盘大凶，大劳行房露卧发癞病，醉勿食热食。食毕摩腹，能除百病。热食伤骨，冷食伤肺，热无灼唇，冷无冰齿，食毕行步踌躇②，则长生。

注

①奈何：怎么办，这里指唉声叹气。

②踌躇：停留，徘徊不前，此处是步行较慢的意思。

　　食勿大言大饱，血脉闭卧①，欲得数转侧，冬温夏凉，慎勿冒之。大醉神散越，大乐气飞扬，大愁气不通，久坐伤筋，久立伤骨。凡欲坐先解脱右靴履大吉。用精令人气乏，少睡令人目盲，多睡令人心烦，贪美食令人泄痢，沐浴令常不吉，沐与浴②不同日，同日沐浴凶。说梦者凶。

注

①闭卧：闭塞不通。

②沐与浴：沐，指洗头；浴，指洗身体。

　　凡日月蚀，救之吉，活千人，除殃①，活万人，与天地同功。日月薄蚀，大风大雨，虹霓②地动，雷电霹雳，大寒大雾，四时节变，不可交合阴阳，慎之。凡夏至后，丙丁日，冬至后，庚辛日，皆不可阴阳合③，大凶。

注

①殃：灾祸。

②霓：虹的一种，也叫作副虹。

③阴阳合：行房事。

　　老子曰：凡人生疾病者，是风日之子。生而早死，是晦日①之子。在胎而伤者，是朔日②之子。母子俱死者，是雷霆霹雳日之子。能行步有知而死者，是下旬之子。兵血死者，是月水尽之子，又是月蚀之子。虽胎不成者，是弦望③之子。命不长者，是大醉之子。不痴必狂者，是大劳之子。

注

①晦日：农历每月的最后一天。

②朔日：农历将朔日定为每月的第一天，即初一。

③弦望：弦，月中分谓之弦，因此有上弦（每月农历初七、初八）和下弦（每月农历廿二、廿三）；望，每月十五月圆之日。

生而不成者，是平旦之子。意多恐悸者，是日出之子。好为盗贼贪欲者，是禺中①之子。性行不良者，是日中之子。奸诈及妄者，是晡时②之子。不喑必聋者，是人定③之子。天地闭气不通，其子多死。夜半合阴阳生子④，上寿贤明。夜半后合会，生子中寿，聪明智慧。鸡鸣合会，生子下寿，克父母，此乃天地之常理也。

注

①禺中：将近午时。

②晡时：午后三时至五时，傍晚。

③人定：指夜深人静的时候。

④合阴阳生子：行房生孩子。

中正子曰：凡居家不欲数沐浴。若沐浴，须密室，不得大热，亦不得大冷，皆生百病。冬浴不必汗出霡霂[1]，沐浴后不得触风冷，新沐发讫，勿当风，勿湿萦髻[2]，勿湿头卧，使人头风眩闷发秃面黑齿痛，耳聋头生白屑。饥忌浴，饱忌沐，浴讫，须进少许食饮乃出。

注

①霡霂：形容汗流如雨的样子。
②萦髻：盘在头顶或脑后的发结。

夜沐发，不食即卧，令人心虚，饶[1]汗多梦。又夫妻不用同日沐浴。常以晦日浴，朔日沐吉。凡炊汤经宿，用洗体成癣，洗面无光，洗脚即疼痛。作瓶畦疮，热泔洗头，冷水濯之，作头风。饮水沐头，亦作头风。时行病，新汗解，勿冷水洗浴损心包[2]。

注

①饶：多。
②心包：包在心脏外面的一层薄膜。

附 发汗愈病五形图

此禽兽形图，乃汉神医华陀所授[1]，凡人身体不安，作此五形图之戏，汗出疾即愈矣。

闭气低头拈拳[2]，战如虎威势，两手如提千金，轻轻起来，莫放气[3]，平身吞气入腹，使神气上而复下，觉腹内如雷鸣，或七次，如此运动，一身气脉调和，百病不生。（图一）

注

①授：传授。
②拈拳：握拳。
③放气：吐气。

如熊侧身起，左右摆脚要[1]后，立定，使气两旁，胁骨节皆响，亦能动腰力除肿，或三五次止，能舒筋骨而安，此乃养血之术也。（图二）

闭气低头捻拳，如鹿转头顾[2]尾，平身缩肩立脚尖，跳跌，跟连天柱，通身皆振动，或三次。每日一次也可，如下床做作一次更妙。（图三）

注

①要：通"腰"，《卫生真诀》亦作"腰"。
②顾：回头看，泛指看。

闭气如猿爬树，一只手如捻果，一只脚如上抬起，一只脚跟转身,更运神气吞入,腹内觉有汗出方可罢。
(图四)

　　闭气如鸟飞,头起,吸尾闾①,气朝顶,虚双②
手躬前,头要仰起,迎神破顶。(图五)

注

①尾闾:尾闾穴是人体穴位之一,位置位于尾骨端
　与肛门之间。
②双:原文为"只",据《卫生真诀》改。

图一　第一虎形

图二　第二熊形

图三　第三鹿形

图四　第四猿形

图五　第五鸟形

节欲

如虚子曰：人均禀五常[1]，而尊卑贵贱不等，皆由父母合会受气异也。得合八星阴阳，又得其时者，上也；得合八星阴阳，不得其时者，中也；不合八星阴阳，得其时者，下也；不合此宿，不得其时，则为凡人矣。合宿[2]交会者，非惟生子大贵，亦利身[3]大吉。八星者，室参井鬼柳张房心也，是宿所在，可以合阴阳。

注

①五常：五行运化的常道。

②合宿：与八星宿相应。

③利身：有利于自身。

凡大月十七日、小月十六日，不可交会，犯之伤血脉。凡月二十三日、五日、九日、廿日，此生日也，交会令人无疾病。

凡新浴远行及疲饱食醉，大喜大悲，男女热病未差[1]，女子月血新产者，皆不可合[2]。阴阳热病，新交者死。

注

①差：通"瘥"，意为痊愈。

②合：行房事。

人有所怒，血气未定，因与女合，令人发痈疽。不可忍小便交合，使人淋①，茎中痛。面夫②血色，及运行疲乏来入房，五劳虚损，少子。且妇人月事未绝而与交合，令人成病，得白驳也。水银不可近阴，令人消缩，鹿猪二脂，不可近阴，令阴痿也。

注

①淋：以小便频数量少，尿道灼热疼痛，排出不畅，或小腹拘急，痛引腰腹为主要表现的病症。
②夫：疑为"无"。

如虚子曰：夫四欲①之中，惟色最甚，虽圣贤不能无此。孔氏曰：吾未见好德如好色者也。孟子曰：养心莫善于寡欲。又曰：血气未定，戒之在色。若此观之，则色亦人所难制者。今之膏粱逸士，昼夜荒淫，以此为乐，若悦当橥，嗜而无厌，必待精竭髓枯，气匮力乏而已，昧而觉者，岂其是乎。迨夫真水②既亏，则火炎痰聚，而痨瘵之症成矣。

注

①四欲：一情欲谓欲界众生，多于男女情爱之境而起贪欲，故名情欲；二色欲谓欲界众生，多于男女娇媚等色而起贪欲，故名色欲；三食欲谓欲界众生，多于美味饮食而起贪欲，故名食欲；四淫欲谓欲界众生，多于男女互相染着，行于欲事，故名淫欲。

②真水：指的是肾阴，是与肾阳相对而言，肾阳指
本脏的阴液（包括肾脏所藏的精），是肾阳功能
活动的基础。

　　当此之际，法宜存精以复水，奈火伏水沸，心
神浮越①，虚阳妄动，竟不能制，而复泄其精，则犹
源将涸，而流将息，而复导之，宁不竭乎？噫！病
至于此，非医者之神手，疑②神定虑，以治病者之铁
心，割情绝爱以调，安能免于死哉？悲夫！

注

①心神浮越：心神虚浮不安。
②疑：读音 nǐ，安定、止息之意。

养老

如虚子曰：人之在生，多遘①诸难，兼少年之时，乐游驰骋，情志放逸，不致于道，倏然②白首，方悟虚生，终无所益。年至六十，将欲颐性，莫测依据，若于此二篇中求之，庶几于道，足以延龄矣。

注

①遘：读音 gòu，遇到。
②倏然：读音 shù rán，迅速之意。

语云：人年老有疾者不疗，斯言失矣。缅想①圣人之意，本为老人设方，何则？年少则阳气猛盛，食旨皆甘，不假②医药，悉③得肥壮。至于年迈，气力稍微，非药不效，譬之新宅之与故舍，断可知矣。

注

①缅想：遥想。
②不假：不借助。
③悉：都。

如虚子曰：人年五十以上，阳气日衰，心力渐退，忘前失后①，兴居怠惰，视听不稳，多退少进，日月不等，万事零落，心无聊赖，健忘嗔怒，情性变异，食欲无味，寝处不安，子孙不能识其性②。

注

①忘前失后：形容人记忆差，忘这忘那，就是忘了前面做过什么，忘了现在将要做什么。
②识其性：了解他的性格。

　　惟云大人老来恶性，不可咨谏①。是以为孝之道，常须慎护其事，每起速称其须，不得令其意负不快。故曰：为人子者，不植见落之木②。《淮南子》曰：木叶落长年，悲夫栽植卉木，尚有避忌，况俯仰之间。得轻脱乎？

注

①咨谏：劝阻让其改正。
②不植见落之木：不种植会落叶的植物。

　　清介子曰：人年六十以去，皆大便不利①，或常苦下痢②，有斯二疾，常须预防。若闭涩，则宜数食葵菜等冷滑之物。如其下痢，宜与姜、韭温热之菜。所以老人于四时之中，常宜温食，不得轻③之。

注

①大便不利：大便排泄不畅。
②下痢：指腹泻，排出的粪便比较稀。
③轻：轻视，认为不重要。

　　老人之性，必恃①其老，无有藉在率多骄恣，不循轨度②，忽有所好，即须称情。既晓此术，宜常预慎之。故养老之要，耳无妄听，口无妄言，身无妄动，心无妄念，此皆有益老耳。

福

福 读
寿 经
典
丹 学
书 养
生

FU
SHOU
DAN
SHU

一
福

注

①恃：依赖，仗着。
②不循轨度：不遵循正确的方法。

人又当爱精，每有诵念，无令耳闻，此为要妙耳。又老人之道，常念①善，不念恶，常念生，勿念杀，常念信，无念欺。养老之道，无于情戏，强用②气力。

注

①念：惦记，常常想。
②强用：过度地使用。

无举重，无疾行，无喜怒，无极视，无极听，无大用意，无大思虑，无嗟吁①，无叫唤，无吟叹，无歌笑，无啼泣，无悲愁，无哀恸，无庆吊，无接对宾客，无预局席②，无饮兴，能如此者，可无病长寿，不必惑也。又当避大风大雨，大寒大暑，大露、霜、霰③雪、旋风、恶气，能不触冒者，是大吉祥。

注

①嗟吁：伤感长叹。
②局席：指宴席。
③霰：在高空中的水蒸气遇到冷空气凝结成的小冰粒，多在下雪前或下雪时出现。

凡所居之室，必须周密，无致风隙也。夫善养者，非其①书勿读，非其声勿听，非其务勿行，非其食勿食。非其食者，所谓猪、狉、鸡、鱼、蒜、鲙②、生肉、生菜、白酒、大酢、大咸也。常学淡食，至如黄米、小豆，此等非老人所宜食，故必忌之。

注

①其：适合老年人的。
②鲙：即鲡鱼。

常宜轻清甜淡之物，大小麦面、粳米等为佳。又忌强用力咬啮坚硬脯肉，及致折齿破断之弊。常不饥不饱不寒不热，善行住坐卧，言谈语笑，寝食造次①之间，能不妄失者②，则可延年益寿矣。

注

①造次：仓猝，匆忙。
②能不妄失者：可以不胡乱违背的人。

如虚子曰：卫汛称扁鹊云：安身之本，必须于食；救疾之道，惟在于药。不知食宜者，不可以全生①，不明药性者，不能以除病。故食能排邪，而安脏腑，药能恬神养性，以资②血气，故为人子者，不可不知此二事。是故君父③有疾，期先命食以疗之，食疗不愈，然后命药，故孝子必深知食药二性。

注

①全生：保全性命。

②资：补充，提供。

③君父：这里指父亲。

　　清介子曰：人养老之道，虽有水陆百品珍馐①，每食必忌于杂，杂则五味相挠②，食之不已。为人作患，是以食啖鲑肴，务令简少饮食，当令节俭。若贪味伤多，老人肠胃皮薄，多则不消，膨③哼短气必致霍乱。

注

①珍馐：珍奇名贵的食物。

②挠：扰乱，阻止。

③膨：腹胀。

　　夏至以后，秋分以前，勿进肥浓羹、臛①、酥、油酪等，则无他矣。夫老人所以多疾者，皆由少时②春夏取凉，多饮食大冷。故其鱼脍、生菜、生肉、腥冷物多损于人，宜常断之③。惟乳酪、酥、蜜常宜温而食之，此大利益老年。虽然卒多食之，亦令人腹胀泄痢，渐渐食之乃佳。

注

①臛：肉羹的意思。

②少时：年少之时。

③断之：禁绝食用这些食物。

63

中正子曰：非但须知服食将息^①节度，更须知调身按摩，摇动肢节，导引行气。行气之道，礼拜，一日勿住，不得安于其处，以致壅滞。故流水不腐，户枢不蠹^②，义在斯矣！能知此者，可得一二百。故曰：安者非安，能安在于虑亡；乐者非乐，能乐在于虑殃，所以老人不得杀生取肉以自养也。

注

①将息：调养，休息，将养休息。
②流水不腐，户枢不蠹：常流的水不发臭，常转的门轴不遭虫蛀；比喻经常运动，生命力才能持久，才有旺盛的活力。

戒忌

《黄帝杂忌》曰：旦起，勿开目洗面，令人目涩失明饶①泪。清旦勿恶言，闻恶事，即向所来方三唾②之，吉。又勿嗔怒，勿叱咤嗟呼③，勿咄叹，勿立膝坐而支臂膝上，勿令发覆面，皆不祥。勿举足向火，勿对灶骂詈。凡行立坐，勿背日，吉；勿面北坐久思，不祥。

注

①饶：多。
②三唾：吐三次口水。
③叱咤嗟呼：叱咤，怒斥，呼喝；嗟呼，感叹。

凡欲行来，常存魁罡①在头上，所向皆吉。若欲征战，存斗柄在前以指敌，吉。勿面北冠带，凶；勿向西北唾，犯魁光神，凶。勿咳唾，唾不用远②，成肺病，令人手足重，及背痛，咳嗽。亦勿向西北大小便。勿杀龟蛇，勿怒目③视日月，令人失明。行及乘马，不用回顾，则神去人不用，鬼行踏栗。

注

①魁罡：指斗魁与天罡二星。
②唾不用远：吐口水不要吐得太远。
③怒目：睁大眼睛。

凡过神庙，慎勿辄入[1]，入必恭敬，不得举目恣意顾瞻，当如对严君焉，乃享其福，不尔速祸，亦不得返首顾视神庙。见龙蛇，勿兴心惊怪，亦勿注意瞻视[2]，忽见鬼怪变异之物，即强抑之勿怪。咒曰：见怪不怪，其怪自坏。

注

①辄入：意指擅入，随便进去。
②瞻视：指观看，顾盼。

又路行及众中见殊妙美女，慎勿熟视而爱之，比当魑魅[1]之物，无问[2]空山旷野，稠人广众之中，皆亦如之。凡山水有沙风处，勿在中浴，害人。欲渡者，随驴马后急渡，不伤人。有水弩[3]处射人影即死，欲波者以物打水，其弩即散，急渡不伤。

注

①魑魅：害人的鬼怪。
②无问：无论。
③水弩：蜮的俗称。传说中的一种水中毒虫，可在水中含沙射人。

凡诸山有孔穴[1]入采宝者，惟三月九月，余月山闭气交[2]犯死。凡人空腹，不用见尸臭气，入鼻。舌上白起，口常臭。欲见尸者，皆须饮酒见之，能避毒凶。行触热，途中逢河，勿洗面，生乌䵒。

注

①孔穴：洞穴。《尔雅·释诂下》："孔，间也。"
邢昺疏："孔者，穴也。"
②山闭气交：山气闭塞交合不通，指洞穴中产生毒
气不能流通排泄。

如虚子曰：凡在家及外行，卒①逢大飘风暴雨，
震电②昏暗大雾，此皆是诸龙鬼神行动经过所致，宜
入室闭户烧香静坐，安心以避之，待过后乃出，不
尔损人。或当时虽未觉，于后不佳矣。又阴雾中，
不可远行。

注

①卒：突然。
②震电：雷电。

华光子曰：湿衣及汗衣，皆不可久着，令人发
疮及风瘙①。大汗能易衣佳，不易者急洗之，不尔令
人小便不利。凡大汗勿偏脱衣，恐中风半身不遂。
春天不可薄衣，令人伤寒②霍乱，食不消头痛。

真人曰：欲求长生，服诸神药，必须先断房室，
肃斋③沐浴熏香，不得往丧孝家，及产乳处，慎之！
慎之！

注

①瘙：像长疥疮那样发痒。
②伤寒：风寒侵入人体而引起的疾病。
③肃斋：即素斋，素食。

仲长统[1]曰：王侯之宫，美女兼千，卿士之家，侍妾数百，昼则醇酒[2]淋其骨髓，夜则房室[3]输其血气，耳听淫声，目乐邪色，宴内[4]不出，游外[5]不返。王公得之于上，豪杰驰之于下，及至生产不时，孕育太早，或童孺而擅气[6]，或疾病而构精，精气薄恶，血脉不充。

注

①钟长统：179～219年，字公理，东汉山阳高平（今山东金乡）人。曾为曹操谋事。著有《昌言》十二卷。《后汉书》有传。

②醇酒：味浓香郁而纯正的美酒。

③房室：通"房事"。

④宴内：在家中摆宴。

⑤游外：玩出游玩。

⑥擅气：与下句"构精"互文见义，都指两性交合。

既出胞脏，养护无法[1]，又蒸之以五味，胎伤孩病，而脆未得坚，复纵情欲重，重相生病，病相孕，国无良医，医无审术[2]，奸佐其间，过谬常有。会[3]有一疾，莫能自免。当今百岁之人者，岂非所习不纯正也。

注

①无法：不合法度。

②审术：真实可信的医术。《玉篇·采部》："审，信也。"

③会：遭遇。

广惠子曰：修心既平，又须慎言语。凡言语诵读，常想声在气海①中脐下也。每日初，勿言语诵读，宁待平旦，旦起欲专言善事②，不欲先计较钱财。又食不得语③，语而食者，常患胸背痛。

注

①气海：在下腹部，前正中线上，当脐中下 1.5 寸。
②旦起欲专言善事：晨起先只说好的事情。
③食不得语：吃饭的时候不能说话。

寝卧勿多言笑，寝不得语言者，言五脏如钟磬①不悬，则不可发声。行不得语，若语须住脚②，乃语。行语，则令人失气。冬至日，止可语，不可言。自言曰言，答人曰语。有人来问，不可不答，自不可发言也，仍勿触冷开口大语为佳。

注

①磬：原文作"罄"，据文意改。
②若语须住脚：如果想说话，先停下脚步。

如虚子曰：夫诸欲之内，惟财利益人多，盖人非财①，则无以治其生②。故谚云，财与命相连。然财固人所必用，但以轻重较之，财则又轻于命一也。何则？人既病火，则危如累卵；善调③则生，失调则死，岂常病可例视乎？

69

①非财：没有钱财。

②治其生：治理他的生活。

③善调：善于调理。

　　必静心寡欲，凝神定虑，毋以纤物①烦扰心君，庶火息水恬，病或可瘳②。于此而孜孜汲汲③，终日营营，致天君失泰，而相火擅权，势必燎原矣。利可趋乎，利可止不戒乎？

①纤物：小事，杂乱之事。

②瘳：病愈。

③孜孜汲汲：心情急切、勤勉不懈的样子。

　　如虚子曰：凡人卧，春夏向东①，秋冬向西，头勿北卧墙，北亦勿安床。凡欲睡，勿歌咏②，不祥。起上床坐，先脱左足③卧，勿当舍脊下卧，讫，勿留灯烛，令魂魄及六神不安，多愁怨。人头边勿安④火炉，日久引火气，头重、目赤、鼻干。

①春夏向东：春季、夏季睡觉头向东。

②歌咏：唱歌。

③先脱左足：先脱左脚的鞋。

④安：安置。

夜卧，当耳勿有孔①，吹人，即耳聋。夏不用露面卧，令人面皮厚，喜成癣，或作面风。冬夜勿覆头②，得长寿人。每见十步直墙，勿顺墙卧，风利吹人发癫及体重。人卧勿跂床悬脚③，久成血痹，两足重，腰疼。

注

①当耳勿有孔：对着耳朵的地方不要有孔隙。
②覆头：盖着头部。
③跂床悬脚：把脚踮在床上悬起。

又不得昼眠，令人失气。卧勿大语，损人气力，暮卧当习闭口，口开即失气，且邪恶从口入，久而成消渴①，及失血色。屈膝侧卧，益人气力。按孔子不尸卧，故曰睡不厌踧②，觉不厌舒。凡人舒睡，则有鬼痛魔邪。

注

①消渴：泛指以多饮、多食、多尿、形体消瘦，或尿有甜味为特征的疾病。
②踧：读音 cù，恭敬小心的样子。

凡眠，先卧心①，后卧眼②。人卧一夜，当作五度反覆常逐更转。凡人夜魇③，勿燃灯唤之，定死无疑，暗唤④之吉，亦不得近前急唤。夜梦恶，不须说，且以水面东方噀⑤之，咒曰：恶梦著草木，好梦成珠玉。即无咎矣。又梦之善恶，并勿说为吉。

福

读经典 学养生

福寿丹书

FU
SHOU
DAN
SHU

一
福

71

注

①卧心：静心。

②卧眼：闭眼。

③夜魇：梦游症。

④暗唤：黑暗中小声呼唤。

⑤噀：含在口中而喷出。

隐身子曰：居家常戒约内外长幼，有不快①，即须早道，勿使隐忍，以为无苦，过时不知，便为重病，遂成不效。小有不好，即按摩挼②捺，令百节通利，泄其邪气。凡人无问有事无事，常须日别蹋③脊背四肢一度，头项苦令熟蹋，即风时行，不能侵入，此大要妙，不可具论。

注

①不快：身体不适。

②挼：通"挪"，揉搓。

③蹋：踩，此处为按摩。

抱朴子曰：至于居处，不得绮靡①华丽，令人贪婪无厌，乃患害之源。但令雅素净洁，无风雨寒湿为佳。衣服器械，勿令珍玉金宝，增长过失，使人烦恼根深。厨膳勿脯肉丰盈，常令俭约为佳。然后行作鹅王步②，语作含钟声，眠作狮③子卧。

注

①绮靡：侈丽，浮华。

②鹅王步：俗称"四方步"，走起来舒缓、安稳，
  可以养气。
③狮：原作"师"，据元刻本、道藏本、四库本。

每日自咏歌云：美食徐熟嚼，生食不粗吞，问
我居止处，大宅总林村，胎息①守五脏，气至仙骨成。
又歌曰：日食三个毒②，不嚼而自消，锦绣为五脏，
身着粪扫袍。

注

①胎息：通过意念诱导的一种高度柔和的腹式呼吸
  方法。
②毒：疑为"枣"之误。

老子曰：谢天地父母，常以辰巳日黄昏时。天
晴日，净扫宅中甲壬、丙寅之地。烧香北向，稽首①
三过，口勿语，但心中念耳，举家②皆利。默云：曾
孙某乙数负皇天之气，象上帝之始，顾合家男女大
小前后所犯罪过，请为消除凶恶，在后进善，令某
家大小身神安，生气还常行此道，大吉大利，除灾殃。

注

①稽首：跪下并拱手至地，头也至地。
②举家：全家。

老子曰：正月朔日晓，亦可于庭中，向寅地，
再拜①。咒曰：洪华洪华，受大道之恩，太清玄门，

73

顾还某去岁之年。男女皆三过②，自咒常行此道，可以延年。

注

①再拜：叩拜两次。
②三过：三遍。

吕真人《安乐歌》曰：双关一度理三焦①，左肝右肺如射雕，东脾西胃须单托，五劳七伤四顾摇。鳝鱼摆尾驱心病，手拔脚挺理肾腰，大小朝天安五脏，漱津咽纳指双挑。一时如此作三度，方才把火遍身烧，有人十二时中用，管取延年百病消。行则措担于远途，往则凝时于太虚②，坐则调鼻息之气，卧则守脐下之珠。

注

①三焦：作为六腑之一，一般认为它是分布于胸腹腔的一个大腑，惟三焦最大，无与匹配，故有"孤府"之称。
②太虚：宇宙原始的实体气。

桂允虞先生《息论》云：至人定鼎安炉，人身自有鼎，心田自有丹，鼎立而后可以炼丹。凡人游山探药①，别求置鼎安炉，是自弃其基也。至人存无守有，人只是一个气，只是一个息，无时息机深深若存，有时息机绵绵弗脱，自无而有，自有还无，

74

随调随养，自息定而丹成。凡入夜气存之，旦昼亡之，是半途而废也。其于道。

①探药：寻找药材。

福寿丹书

读经典 学养生

福寿丹书

FU
SHOU
DAN
SHU

三福

服食篇（三福）

服食篇引

昔人欲以服食为仙[1]，即有之，犹可遇而不可为也；即可为，而第可于深山穷谷、要荒殊绝[2]之地，始于不得已终于异获者以为之，而不可以居常日用[3]尝试遽为之也。夫不有日用之道，即有日用之为，不离饮食之常，而穷至道之妙。盗天地之萃精发妙，以卫吾之生，去吾之患，长吾之年，如今昔高人所伦者哉。

注

①服食为仙：通过服药饮食成为仙人。
②要荒殊绝：极其荒凉偏远之地。

76

③日用：日常饮食。

郗伦有言：欲服食当寻情理所宜，审冷暖之适，不可见彼得力，我便服之；初御①草木，次石流，谓精粗相代，阶②粗以至精者也。夫人从少至长③，体习五谷，卒不可一朝顿遗之。凡服药物为益，迟微则无充饥之验，然积年不已，方能骨髓填实，五谷自断。

①御：服用。
②阶：通"皆"。
③从少至长：从幼年到老年。

今人望朝夕之效①，求目下之应，腑脏未充，便以绝粒谷气，始除药未有用；又将御女形神与俗②无别，以此致弊，胡不怪哉？故服饵皆有次第，不知其术者，非止有损，卒不得力。

①朝夕之效：短期的效果。
②俗：平常的方法。

其大法必先去三虫①，三虫既去，次服②草药，好得药力，次服木药，好得力讫，次服石药，依此次第，乃得遂其药性③，庶事安稳，可以延龄矣。斯言也，庶几匪幻与，乃以愚闻，广其所集，为《服食》之篇。

注

①三虫：泛指人体内的寄生虫。

②次服：然后再服用。

③乃得遂其药性：才能发挥这些药材的全部药效。

服食

去三虫方

生地黄汁三斗，东向灶，苇火煎三沸。纳清漆二升，荆匕①搅之，日移一尺。纳真丹三两，复移一尺。纳瓜子②末三升，复移一尺。纳大黄末三两，微火勿令焦，候可丸如梧子大。先食服一丸，日三。浊血下鼻中三十日，诸虫皆下，五十日百病愈，面色有光泽。③

注

①荆匕：木质勺子。

②瓜子：冬瓜子。

③自小标题"服食"起至本段。天启本缺，据崇祯本补。

天门冬方①

……又方捣取汁，微火煎取五斗，下白蜜一斗，胡麻沙末二升，合煎，搅勿息手②，可丸即止③火下大豆黄末，和为饼，径三寸，厚半，一服一枚日，三百日已上得益，此方最上妙，包众方。

蒯道人入年近二百而少④，但取天门冬去心、皮，切干末之。酒服方寸匕⑤，日三，令人不老，补中益气，愈百病也。

注

①本方前半部分残缺，从后文推断应为天门冬方。

②搅勿息手：一直搅拌不停止。

③可丸即止：可以揉成药丸为止。

④少：变得年轻。

⑤方寸匕：古代量取药末的器具，其状如刀匕。一
方寸匕大小为古代一寸正方，其容量相当于十粒
梧桐子大。

天门冬丸

天门冬采得，当以酢浆水煮之，湿去心、皮，
曝干，捣筛，以水蜜中半①和之，仍更曝干。又捣末，
水蜜中半和之，更曝干。每取一丸含之，有津液，
辄②咽之，常含勿绝之③，久久自可绝谷。禁一切食，
惟得吃大麦。

注

①半：通"拌"，搅拌。

②辄：就。

③常含勿绝之：经常含在嘴里而不间断。

天门冬膏

用天门冬，拣去枯坏者，十五斤。以温水润透，
去皮、心晒干，用净肉十斤捣烂。每斤用水五碗，
共五十碗，入铜锅慢火煮干。三分之二，用布绞出汁，
其查①再捣烂，用水三十碗再熬。约减大半，又以
布绞汁令净。去查不用，将前后二汁合一处，文武

火熬，至滴水不散②，似稀糊样，取起至冷水中，出火毒三日，以瓷瓶收贮封固。

注

①查：通"渣"，以下相同。
②至滴水不散：直到滴入水滴而不溶解在里面。

每日空心，午间、下晚挑膏半盏①，以滚白水调开服之。冬月用酒煮，有痰用淡姜汤调；上焦热而有痰，食后多服一次；下焦热小便赤涩②，空心多服一次。果妙。能滋阴降火，清肺补肾，充旺元阳③，酒色之人，最宜。常服极好。昔有王子单服此膏，连生三十二子，寿年百岁，行步轻健，耳目聪明。

注

①挑膏半盏：取天门冬膏半杯。
②小便赤涩：小便色黄量少。
③元阳：中医学谓人体阳气的根本。

服地黄

生地黄五十斤，熟捣①绞取汁，澄去滓，微火上煎，减过半。纳白蜜五斤，枣脂②一斤，搅令相得③，可丸乃止。每服如鸡子一枚，日三④，令人肥白。

注

①熟捣：充分捣碎。
②枣脂：枣肉。

③搅令相得：搅拌让它们相互混合。

④日三：一天服用三次。

　　又方　地黄十斤，细切，以醇酒二斗渍①，三宿出，曝干，反复纳渍取酒尽止②。加甘草、巴戟天、厚朴、干漆、覆盆子各一斤，捣下筛，食后酒服方寸匕，日三，加至二匕，使人老者还少强力，无病延年。

①渍：浸，沤。

②反复纳渍取酒尽止：反复在酒中浸渍，直到酒用完为止。

服黄精方

　　凡采黄精，须去苗下节，以竹刀去皮，服一节，隔二日增一节，十日服四节，二十日服八节。空腹服之，服讫不得漱口。忌食酒肉、五辛、酥油等，最忌盐咸物。止①粳米糜粥淡食。服时仰卧，勿坐，坐食即入头，令人头痛。服讫，经一食顷乃起②，即无所畏。

①止：通"只"，仅仅食用。

②经一食顷乃起：等一顿饭的时间再起身。

服黄精膏

　　黄精一石①，去须毛，洗令净洁，打碎蒸令熟，压得汁，复煎②去游水，得一斗。纳干姜末三两，桂心末一两，微火煎，看色郁郁然，欲黄，便去火，待冷盛不津器③中。酒五合④，和匀服二合，食前日三服，旧皮脱，颜色变光华，有异鬓，发更改。欲长服者，不须和酒，纳生大豆黄，绝谷食之，不饥渴，长生不老。

注

①石：音 dàn，中国市制容量单位，十斗为一石。
②煎：烤。
③盛不津器中：放入不漏水的容器中。
④合：中国古计量单位，约 0.18 公斤，十合为一升。

服乌麻

取黑皮真檀色者，乌麻随多少①，水拌令润，勿过湿，蒸令气偏，即出曝干，如此九蒸九捣。去上皮末，食前和水②。若酒服，二方寸匕，日三，渐渐不饥绝谷。久服百病不生，常服延年不老。

注

①乌麻随多少：乌麻的数量无论多少。
②食前和水：服用前和在水中。

饵柏实

柏子仁三升，捣令细。醇酒四升，渍搅如泥①。下白蜜二升，枣膏三升，捣令可丸。入干地黄末、白术末，各一升，搅和丸②，如梧子。每服三十丸，日二服，二十日，万病皆愈。

注

①渍搅如泥：浸渍搅拌得像泥浆一样。
②搅和丸：搅拌揉捏成丸。

饵松子

七月七日，采松子，过时即落，不可①。治服方寸匕，日三四。一云：一服三合，百日身轻，二百日行五百里。绝谷服成仙，渴饮水，亦可和脂服之。若丸如梧桐子大，服十丸。

注

①过时即落，不可：过了时日就会落下，不能使用。

服松脂方

百炼松脂，下筛以蜜和，纳筒中，勿令中风①。日服如棋子一枚，日三，渐渐月服一斤，不饥延年，亦可醇酒和白蜜如饴，日服一二两至半斤。

注

①勿令中风：不要被风吹。

彭祖服松脂方

松脂灰汁煮三十遍，浆水煮三十遍，清水煮六十遍　茯苓灰汁煮十遍，浆水煮十遍，清水煮十

遍　生天门冬去心、皮，曝干，捣作末各五斤　牛
酥　蜡　白蜜三斤，煎令沫尽

上六味，各捣筛，以铜器重汤上，先纳[1]酥，
次蜡，次蜜，消讫纳药[2]，急搅勿住手，务令火匀[3]，
纳瓷器中，密封，勿令泄气。

注

①纳：原文作"内"，即"纳"，放入。
②消讫纳药：完全溶解后放入药材。
③务令火匀：务必让火候均匀。

先一日不食，欲不食，先须吃好美食，令极饱，
然后绝食，即服二两；二十日后，服四两；又二十
日后，服八两。细丸之[1]，以咽中下为度。第二度，
以四两为初，二十日后服八两，又二十日二两。第
三度，服以八两为初，二十日二两，二十日四两。
合一百八十日，药成[2]。

注

①细丸之：搓成小丸。
②药成：服药后可以见到成效。

自后服三丸将补，不服亦得，恒以酥蜜消息
之，美酒服一升为佳。合药，须取四时王相日[1]，
特忌形杀、厌及四激、休、废等日，凶。

注

①王相日：农历每月初二、初三、初五、二十为王相日。

服茯苓酥

　　取山阳①茯苓，其味甘美，山阴者，味苦恶。拣得之，勿去皮，去皮力薄。切炮干，令气溜，以汤淋之②，其色赤味苦，淋之不已，候汁味甜便止。暴捣筛，得茯苓三斗，取好酒大斗一石，蜜一斗，和茯苓末相得，纳一石五斗瓮③，熟搅之百遍，密封之，勿令泄气。

注

①山阳：山的南面。
②以汤淋之：用开水浇。
③纳一石五斗瓮：放入一石五斗的瓮中。

　　冬月五十日，夏月二十一日，酥浮于酒上。接取酥，其味甘美如甘露。可作饼，大如手掌，空屋中阴干①，其色赤如枣。饥食一饼，终日不饥，更愈万病②，久服延年。

注

①阴干：放在阴凉处晾干。
②更愈万病：还能治疗各种病。

服杏仁法

杏仁一斤，去尖、皮及两仁者，熬令色黄，末之　茯苓一斤，末之　人参五两，末之　酥二斤　蜜一斤半

上五味，纳铜器中，微火煎。先下蜜，次下杏仁，次下酥，次下茯苓，次下人参，调①令匀和，又纳于瓷器中。空腹服之，一合，稍稍加之，以利为度②。

注

①调：搅拌。
②以利为度：以感觉舒服为标准。

日再服①，忌鱼肉。主损心吐血，虚热生风，健忘；不思食，食则呕吐；身心战掉，萎黄②瘦弱；服补药，入腹呕吐，服余药还吐，至死。得此方，服一剂即瘥③，第二剂色即如初。

注

①日再服：一天服用两次。
②萎黄：表现为皮肤色黄枯槁不泽。
③瘥：音 chài，病愈。

服杏仁酥

取家杏仁，其味甘香，忌用山杏仁，大毒害人也。杏仁一石，去尖、皮、两仁者，拣完全者，若微有缺坏，一颗不得用。微火①，捣作细末。取清酒两石，研杏仁取汁一石五斗，以蜜一斗，拌杏仁汁，煎极令浓，

与乳相似，纳两石瓮中，搅之，密封泥②，勿令泄气。

注

①微火：微微用火烤。
②密封泥：用泥密封住瓮口。

　　与上茯苓酥同法，三十日看之，酒上出酥，接取酥，纳瓷器中封之。取酥下酒，别封之①。团其药如梨大，置空房中，作阁安之，皆如饴铺状甚美，服之令人断谷，更主②万病，除诸风虚劳。

注

①别封之：分开封存。
②主：主治，治疗。

服莲肉粥

　　用莲子肉三两，丢皮心净，粳米三合，和匀，作二次煮粥，空心常食，能补脾胃，养心肾。

服芡实子粥

　　用鸡头实①，不拘多少，取粉三合，粳米三合，照常煮粥，空心常服，能益精强肾，聪耳明目。

注

①鸡头实：即芡实，中药材，为睡莲科植物芡的干
　燥成熟种仁。

服薏米仁粥

用薏米仁四两，粳米三合，照常①煮粥，不拘时食，能补脾胃，疏风湿，壮筋骨。

注

①照常：按照平常的方法。

服楂梨膏

用鲜肥山楂十斤，去核，甜梨十斤，去核，共取自然汁，入锅煎熬，如汁十斤，入蜜四两，共熬成膏。

服桂花饼

桂花一两　儿茶五钱　诃子七个　甘草五分

上锉末，桂花水为饼①，每嚼一丸，滚水②下。清痰降火，止嗽生津。

注

①桂花水为饼：和桂花水，揉成饼。
②滚水：热水。

服梅酥饼

南薄荷叶三两　紫苏叶五钱　白粉葛一两　白砂糖八两　乌梅肉一两五钱，另研末

上为细末，入片脑一分半，研细施入，同研匀和，炼蜜和成剂，略带硬些，丸如樱桃大。每一丸噙化，能清上焦，润咽膈①，生津液，化痰降火止咳嗽。

89

①咽膈：咽喉胸膈。

服法制人参膏

人参清河大而坚者，四两　白檀香二钱　白豆蔻末一钱半　片脑三分，研　上用甘草膏，同煎为衣①，能补元气，生津液，轻身延年。

①衣：外膜。

服菖蒲方

二月、八月采取肥实白色，节间可容指者，多取阴干，去毛距。择吉日，捣筛。百日一两为一剂。以枣四分、蜜一分、酥和如稠糜①，揉溺，令极匀，纳瓷器中，密封口，埋谷聚②中一百日。欲服此药，须先服泻药，吐利③讫，取五相日旦，空腹一两，含而咽之；有力能消，渐加至二二两。

①和如稠糜：混合得像浓稠的米粥。
②谷聚：盛放粮食的容器。
③吐利：呕吐下利，这里主要指泄下。

服辰巳间①，药消讫，可食粳米乳糜，不得吃饮食。若渴，惟得饮小许热汤②，每日止一服。在静室中，勿喜出入及昼睡。一生须忌羊肉、熟葵。又主癥癖，咳逆上气，痔漏③，又令肤体肥充，老者光泽，发白更黑，面不皱，身轻，明目，填骨髓，益精气。服一剂，寿百岁。

①服辰巳间：服用在辰时与巳时之间。
②热汤：热水。
③痔漏：指痔疮与肛漏。

服菖蒲酒

用五月五日、六月六日、七月七日，取菖蒲不拘多少，捣烂绞取清汁五斗。糯米五斗，蒸熟入细酒曲五斤南方只用三斤，捣碎拌匀，如造酒法，下缸密盖①。三七日榨起②，新坛盛，泥封固。每次温服二三杯，极妙。老人常服通血脉，调荣卫，聪耳明目，壮旺气力，益寿延年。

①下缸密盖：放入缸中，密封盖严。
②榨起：压出其中的汁液。

服枸杞酒

枸杞根一百二十斤，切，以东流水①四石，煮一日一夜，取清汁一石。清曲一如家醍法②，孰取清贮不津器中，纳干地黄末二升半，桂心、干姜、泽泻、蜀椒末各一升，商陆末二升，以绢袋贮，纳酒底，紧塞口，埋入地三尺，坚覆土。

注

①东流水：向东流的活水。
②家醖法：自己家里酿酒的方法。

三七日，沐浴整衣冠再拜，平晓向甲寅地日出处开之。其酒赤如金色，旦空[1]，服半升，十日万病皆愈。恶疾人[2]，以水一升，和酒半升，分五服愈。

注

①旦空：清晨空腹。
②恶疾人：患有难以医治的疾病的人。

服制枸杞子方

枸杞子红者，两半　檀香末五钱　白豆蔻四钱　片脑一钱，另研

上用甘草膏，甘枸杞三味末为衣，任意取用[1]。能补诸虚，滋肾水，延年益寿。

注

①任意取用：即随意服用。

服五加皮酒

好酒一金华坛，煮滚，入五加皮一斤，不时饮[1]，微醺，最胜湿益人。其叶三花[2]是雄，五叶花是雌，阴人使阴，阳[3]人使阳。按五加之名，据义甚大，盖

天有五车星④之精也。青精入茎，则有东方之液，白气入节，则有西方之津，赤气入华，则有南方之光，玄精入根，则有北方之饴，黄烟入皮，则有戊己之灵。五神镇主，相转育成，服一年者貌如童稚气，三年者可作神仙。

注

①不时饮：经常不断地饮用。
②叶三花：三个花瓣的花。
③阳：原文作"阴"，据上下文改。
④五车星：中国古代星官之一，属于二十八宿的毕宿，意为"五辆车"，或指五帝的车场。它位于现代星座划分的金牛座和御夫座，含有5颗恒星。

服菊花酒方

家菊花五斤　怀生地黄五斤　地骨皮五斤

三味捣碎一处①，用水一石，煮取净汁五斗。炊饭，细面曲五斤，拌令匀，入瓮内，密封三七日②，候熟澄清，去渣，另用小瓶盛贮。不拘时限，常饮二三杯，能令老人心清目明，疏风养血。

注

①三味捣碎一处：三味药捣碎放在一起。
②三七日：三个七天，即二十一天。

又服菊丸

三月上寅日①，采苗，六月上寅日，采叶；九月上寅日，采花；十二月上寅日，采根。并阴干，各等份称匀，择成日②制之。捣千杵为末，用蜜炼熟，豆大丸成。酒服七丸，一日三服，百日身轻润泽，一年发白变乌，二年齿落更生，三年貌如童子，至贱之草，而有至大之功。

注

①上寅日：农历每月上旬之寅日。寅是十二地支之一，寅日是地支为寅的日子。

②成日：指凡事成就。喜凶诸事均可办理之日。

服冬青子酒

冬至日，采冬青子一斗五升，糯米三斗拌匀蒸熟，以酒曲造成酒，去渣，煮熟，随意饮五、七杯，能清心明目，消火豁痰①，黑发乌须，延年益寿。

注

①豁痰：祛除痰饮。

服紫苏子酒方

用紫苏子三升，炒香，研细。清酒三斗，坛贮。将苏子纳入酒中，密封，浸七日，滤去渣。每日随饮三五杯，调中①益脏，下气补虚，润心肺，利痰气。

福

读经典学养生

福寿丹书

FU
SHOU
DAN
SHU

三
福

①调中：条理中焦。

服固本酒

人参一两　甘州枸杞子一两　天门冬去心，一两

上好烧酒十二斤，浸，春秋半月，夏七，冬二十一日①。密封固瓶口，待浸日完，取出绞去渣。每日空心饭远②，各饮二盏。其渣再用白酒十斤煮熟，去渣，每日随意用之。

①春秋半月，夏七，冬二十一日：春秋两季浸泡15天，
　夏季浸泡7天，冬季浸泡21天。
②空心饭远：空腹，食物完全消化后。

神仙大补酒

人参　天门冬去心　白茯苓　大茴香　白术当归　麦门冬　生地黄　熟地黄　川芎　黄芪　地骨皮　五加皮　肉苁蓉　甘草　官桂　川椒去目　苍术米泔水浸，去皮　川乌火炮去皮，各二两

上为粗末，再取肉枣二斤煮，去皮、核，胡桃仁二斤，麸炒去皮；蜂蜜六斤，炼过。用糯米好酒①三十大壶，以大瓷坛一个，俱装在内，用笋壳封固②。

①糯米好酒：用糯米酿制的优质酒。

②笋壳封固：用竹笋壳密封坛口。

　　重汤锅内，以桑柴文武火，一昼夜，取出冷定，用酒袋压之，以小瓷瓶收贮。每日空心临卧饮一二酒杯。能治男妇五劳①七伤②，诸虚百损，左瘫右痪，遍身疼痛，麻痹不仁，口眼歪斜，语言謇涩③，咳嗽喘急，身瘦如柴，口吐脓血，命将危困。服至一月，觉身轻体健，壮阳明目，久服百病消除，牙齿坚牢，累有奇效。合药勿令妇人鸡犬见，取天月德日为之。

注

①五劳：《素问》中载录，久视伤血，久卧伤气，久坐伤肉，久立伤骨，久行伤筋，是谓五劳所伤。

②七伤：即大饱伤脾，大怒气逆伤肝，强力举重久坐湿地伤肾，形寒饮冷伤肺，形劳意损伤神，风雨寒暑伤形，恐惧不节伤志。

③语言謇涩：指因舌体强硬、运动不灵而致的发音困难、言语不清的表现。

秘传药酒

　　海桐米泔水浸洗　牛膝去梗，水洗　薏苡仁水洗，各二两　川芎水浸洗　地骨皮水洗　羌活水洗五加皮米泔水洗　白术米泔水浸二日，各三两　甘草去皮，五钱　生地黄酒洗，半斤　当归酒洗，二两五钱

　　上锉碎，入绢袋内，用好黄酒二十斤于瓷瓶内

浸七日，方将药酒温热服之。上部痛食后服①，下部痛空心饮，专治虚损、腰腿疼痛不可忍。

注

①上部痛食后服：身体上半部分疼痛则在饭后服用。

三仙延寿酒

好上等堆花烧酒一坛，入龙眼去壳，一斤，桂花四两，白糖八两，封固经年①，愈久愈佳。其味清美香甜，每随量饮，不可过醉。能安神、定智、宁心、悦颜②、香口、却疾延年。

注

①封固经年：密封一年或若干年。
②悦颜：改善容颜。

延龄聚宝酒

何首乌四两，去皮赤白净者　生地黄八两，酒洗，用鲜肥嫩者佳　甘草一两，如粉者炙去皮　天门冬二两，去心　莲花蕊四两　麦门冬二两，去心　石菖蒲二两，一寸九节者佳　甘草四两，炒黄色，十一月十一日采　槐角子四两，炒黄色，十一月十一日采　天麻二两，如牛角尖者佳　干菊花头花，四两　桑椹子四两，取紫者方熟　苍耳子二两，炒，捣去刺　五加皮真者，三两　当归二两，鲜嫩者或切去头尾　肉苁蓉二两，黄酒洗去鳞，盐炙　甘枸

97

杞二两，去蒂　苍术茅山者佳，米汁浸，不犯铁，去皮，二两　防风去芦，二两　白术二两，极白者可用，油黄细小者不用　北细辛二两，洗净　沙苑蒺藜　川牛膝各二两，用肥者去芦　人参去芦　杜仲姜汁浸一宿，炒断丝　黄精各二两，鲜者　白茯苓四两，鲜嫩者去黑皮　熟地鲜肥者用八两，酒蒸

　　上二十七味，一味照方择净[1]，称定分两，务要真正药材，切为咀片[2]，装入生绢袋内。

注

①照方择净：依照药方，挑拣干净。
②咀片：又称饮片。指经过加工处理，制成片、丝、块、段状，便于煎服的药材。古代加工药物往往不用刀具，而用牙咬，故称"咀片"。

　　用无灰洁净瓷坛，约盛九斗酒者，将药装入坛内，春浸十日，夏秋七日，冬浸十四日，取内药袋控干听用[1]。将药酒，每日五更服三小盅，还卧片时[2]，午间服三盅，晚睡服三盅，但觉腹空，再服一盅尤妙。酒后忌生冷，葱、韭、蒜、鱼腥之物少食，惟有白萝卜当忌。

注

①听用：听候使用。
②还卧片时：回到床上再躺片刻。

凡无益之事少行，常要诚心致意，服者自有功效。若服一日，歇两三日，不依法者[1]，效之鲜矣[2]。坐夜间，还服一二次。自三十九岁服起，今经六十四岁矣，身中须发耳目并齿，精神俱备，比常自然不同。生敬此方，如爱珍宝，不可传与愚者，或不信也[3]。

注

①不依法者：不依照方法服用的人。
②效之鲜矣：效果就很小了。
③或不信也：有人不相信。

服猪肚羹

肥大猪肚一具，洗如食法　人参五两　椒一两　干姜一两　粳米半升，煮　葱白七两，细切

上六味下筛，合和相得，纳猪肚中，缝合勿泄气。以水一斗半，微火煎令烂熟，空腹食之，兼少与饭[1]，一顿令尽。可服四五剂极良，能补虚乏气力，脾胃不足。一方[2]，单用童便煮猪肚常吃，胜似服药。

注

①兼少与饭：同时食用少量主食。
②一方：另外一个方子。

服猪腰粥

猪腰子二对，约八两　葱白四茎，去须切碎　人参五分　防风五分　粳米八合　薤白少许

和米煮粥，入盐空心食之。能补[1]耳聋，及补肾脏气惫[2]。

注

①补：治疗。
②惫：极度疲乏。

服牛乳方

牛乳三升　荜茇半两，末之，绵裹

二味铜器中，取三升水和乳合煎，取三升空腹顿服之。日一二匕，补虚，除一切气。慎[1]面、猪、鱼、鸡、蒜、生冷。张淡云：波斯国及大秦，甚重[2]此法。

注

①慎：即"忌"。
②甚重：非常重视。

取牛乳方

用干地黄　黄芪　杜仲各三两　甘草　茯苓各五两　人参二两　苁蓉　薯蓣各六两　麦门冬四两，去心　石斛二两

十味捣筛为散，以水五升，先煮粟七升为粥，纳散搅令匀和，少冷水[1]，牛渴饮之令足[2]，不足更饮水，日一余时，悉渴可饮清水，平旦取牛乳服之，生熟任意。牛须三岁以上，七岁以下，纯黄色者为上，余色者为下。

注

①少冷水：倒入少量冷水。

②足：满足。

其乳常令犊子①饮者，其乳动气，不堪服之。其乳牛，净洁养之，洗刷饮饲须如法，用心看之。慎蒜、猪肉、鱼、生冷、陈臭等物。《本草论》曰：牛乳性平，补血脉，益心，长肌肉，令人身体康强，润泽面目，光悦志气不衰。故为人子者，须供之以为常食②，一日勿缺，常使恣意充足为度也。此物胜肉远矣。

注

①犊子：牛的幼崽。

②须供之以为常食：应该作为供给父母的日常食物。

服牛髓方

用熟牛胻骨①内髓四两，核桃仁去皮二两，和擂②成膏，少入盐，空心食，能补肾消痰。

注

①胻骨：即解剖学上的胫骨，位于小腿部的内侧。

②擂：研磨。

常服牛髓膏

人参二两，净　当归四两，净　山药四两，净核桃肉四两，净　北杏仁去皮尖，四两　水牛脊髓

101

四两，去红筋膜　蜜一斤四两

先将杏仁捣三四百下，入核桃肉，又捣三四百下，将参、归、山药三味入内，又捣三四百下，然后以牛髓入药内，又捣三四百下，方以手擦试无渣[1]，然后将蜜炼滚[2]数次，至清时[3]倾入前药内，共捣三四百下。

🔴 注

①方以手擦试无渣：然后用手擦拭药膏，看有无药渣。
②炼滚：烧开，使蜜翻滚。
③清时：蜜的温度稍降不翻滚时。

将药入新瓦罐内，以绵纸竹叶封固，入锅内，注水半锅，以物四围置之[1]，恐倾倒也。罐口上，以糯米放竹叶上待米成饭，然后取出，放罐在高处。三日后，每早茶匙挑二三匙，调[2]酒服，甚妙。

🔴 注

①以物四围置之：用物品在四周围住安放好。
②调：配合。

服羊骨方

主枸杞根细切，一大斗，以水一大石煮取六大斗五升，澄清　白羊骨一具

上二味合之，微火煎取五大升，温酒服之，五日令尽[1]，不是小小补益。一方：单用枸杞根，慎生冷、

酢、滑、油腻七日，凡人频遭重病、虚赢不可平复②，此方补之甚效。

①五日令尽：五天喝完。
②平复：恢复。

服羊头蹄方

白羊头蹄一具，以草火烧令黄赤，以净绵急塞鼻　胡椒　荜茇　干姜各一两　葱白切，一升　香豉二升

六味先以水煮羊头蹄骨半熟，纳药，更煮令大烂去骨①。空腹适性食之②，日食一具，满七具止，补五劳七伤虚损。

①更煮令大烂去骨：再煮使羊头蹄烂熟，去掉骨头。
②空腹适性食之：空着肚子按自己的食量食用。

服猪肪羊肝

取不中水，猪肪一大升，纳葱白一茎，煎令葱黄止。候冷暖，如人体大虚赢困，平旦服之令尽，暖盖覆卧，至日晡①后，乃食白粥稠糜过三日后。用羊肝一具细切，羊脊骨膜肉一条细切，曲末半升，枸杞根十斤切，以水三大斗，煮取一大斗，去滓。四味合和，下葱白豉汁②，调如羹法，煎之如稠糖，空腹饱食之，三服，慎食如上。

103

注

①日晡：指申时，即 15～17 点。

②豉汁：豆豉汁。

服羊肉粥

羊肉二斤　人参一两　黄芪一两　白茯苓一两
大枣肉五枚　糯米三合

先将羊肉去脂皮，取精肉①四两，细切豆大，余
一斤十一两并药四味，用水五大碗，煎取汁三碗，
绞去渣，入米煮粥。再下前切细生羊肉，同煮熟，
入五味调和，空心食之。能补虚损羸疲，助元阳，
壮筋骨。

注

①精肉：上等肉，精选的肉，即瘦肉。

服羊脊髓粥

用大羊脊髓一条，透肥者捣碎。用青粱米四合，
淘净，以水五升，煮取汁二升，下米煮作粥，入五
味和匀，空心食之。常用极有补益，老人常食，能
补脾胃气弱劳损不下食①者。

注

①不下食：食物不能下行，即腹胀、消化不良。

服羊五脏方

羊肝肚肾心肺一具，以热汤洗肚，余细切之。犁牛酥、胡椒、荜茇各一两，豉心半升，葱白二握去心切，六味合和。以水六升，缓火[1]煎取三升，去滓，和羊肝等，并汁，皆纳羊肚中，以绳系肚口，更别用一绢袋，稍小于羊肚，盛肚煮之。

若熟乘热，出以刀子[1]，并绢袋刺作孔，沥[2]取汁，空腹顿服，令尽，余任意分食。若无羊五脏，羊骨亦可用之，善补虚劳。又以水一大石，微火煎取三斗，依食任意作羹粥面食之。

服鹿峻丸

鹿禀[1]纯阳，一名班体，峻者天地初分之气，牝牡[2]相感之精也，书称鹿茸、角、血、髓大补益于人，此峻入神矣。

注

①禀：承受，生成。
②牝牡：鸟兽的雌性和雄性。

其法：用初生牝鹿三五只于苑囿①驯养，按日以人参煎汤同一切药草，任其饮食。久之，以硫黄细末和入，自少加多，燥则微减，周而复始。大约三年之内，一旦毛脱筋露②，气胜阳极，却别以牝鹿隔苑③诱之，欲交不得，或泄精于外，或令其一交即设法取其精，收置瓷器，香则如饴，是为峻也。

注

①苑囿：畜养禽兽的圈地。
②毛脱筋露：皮毛脱落，青筋暴露。
③隔苑：相邻的圈地。

随人所宜，用补药如八味地黄丸、补阴丸、固本丸之类，以此峻加炼蜜，三分之一同和丸剂，或以鹿角霜一味为丸，空心以盐酒送下，能起①虚瘵危弱之疾，尤捷②。予之胎羸，赖此载造，愿与人人共□。

注

①起：治疗。
②尤捷：非常迅速。

服斑体

此方不拘初生，但驯养壮者一二只。按日煎人参一两，汤饮，渣和草料饲之。按用，预夜盛食，次早^①空心，以布缚鹿于床，首低尾昂，用三棱针一刺眼大眦^②前毛孔，名天池穴。银管三寸许，插向鼻粱，吮其血，和以药酒，任意。或八珍散，加沉香、木香煮食尽量。月可以度鹿无恙^③。若有屠家刺鹿血，乘热和酒一醉亦妙。

注

①次早：第二天早上。
②大眦：内眼角。
③月可以度鹿无恙：一个月后鹿可以恢复无恙。

服耆婆汤方

酥炼　白蜜炼，各一斤　生姜切　椒汗，各一合　酒二升　薤白三握^①炙令黄　油胡麻仁　豉　糖各一斤　橙叶一握，炙令黄

十一味，先以酒，纳糖蜜油酥于铜锅中，煮令匀沸；次纳薤、姜煮令熟；次下椒、橙叶、胡麻煮沸下二升，豉汁又一沸。出，纳瓷器中，密封。空腹吞一合，如人行十里，更一服，冷者加椒，能补大虚冷风^②，赢弱无颜色。

注

①握：量词，指一把大小或分量。
②冷风：受到冷风侵袭。

服蜜饵方

白蜜二升　　腊月猪肪脂一斤　　胡麻油半斤　　干地黄末一升

四味合和，以铜器重釜煎令可丸服，如梧子三丸，日服三，稍加以知为度。久服肥充[1]益寿，补虚羸乏气力。

注

[1]肥充：身体肥美，精神充盈。

服油柑方

生胡麻油　浙粳米泔清，各一升

二味以微火煎，尽泔清乃止，出贮之。取三合，盐汁七合，先以盐汁和油令相得搜面[1]一升，如常法，作馎饦，煮五六沸，出置冷水中；更漉盘上冷，乃更一叶掷沸汤中，煮取如常法，十度煮之，面热乃尽，以油作釄浇之，任饱食。大补虚劳，不食肉油面之人，用之甚妙。

注

[1]搜面：和面，揉面。

服乌麻脂方

乌麻油一升　　薤白三升

二味微火煎，薤白令黄，去滓酒服一合。百日充肥，二百日，老者更少^①，三百日，诸病悉愈。且冬服耐寒，夏服耐暑，不食荤为^②妙。

①更少：还少，变得年少。
②荤为：原文作"晕用"，据文意改。

饵云母水方

上白云母二十斤，薄擘。以露水八斗，作汤分半，洮洗^①云母。如此再过又取二斗作汤，纳芒硝十斤，以云母木器中渍之，二十日出，绢袋盛悬屋上勿使见风，日令燥。以水渍鹿皮^②为囊，揉挺之，从旦至日中，乃以细绢下筛滓，复揉挺，令得好粉五斗，余弃之。

①洮洗：盥洗，清洗。
②水渍鹿皮：用水浸泡过的鹿皮。

取粉一斗，纳崖蜜二斤，搅令如粥，纳生筒中，薄削之，漆固口，埋北垣南崖^①下，入地六尺，覆土。春夏四十日，秋冬三十日，出之当如漆为成，若洞洞不消^②者，更埋三十日，出之。先取水一合，纳药一合，搅和尽服之，日三。

注

①北垣南崖：北墙的南面。

②洞洞不消：混浊不清。

水寒温尽自在，服十日，小便当变黄，此先疗劳气风疹①也。二十日，腹中寒澼消，三十日，龋齿②除更新生，四十日，不畏风寒，五十日，诸病皆愈，颜色日少③，吾已验之，所以述录。

注

①风疹：由外感风热时邪所引起的一种程度较轻的发疹性传染病。

②龋齿：蛀齿。

③颜色日少：容貌逐渐变得年轻。

守中方

白蜡一斤，炼之，凡二升酒为一度，煎却恶物①，凡煎五遍　丹砂四两，细研之　蜜一斤，炼之极净

三味合丸，如小枣大。初一日服三丸，三日服九丸，如此至九日止。

注

①恶物：杂质。

辟谷四仙方

大豆五升，洗净蒸三遍，去皮为细末。大麻子五升，汤浸一宿，漉出，蒸三遍，令口开，去皮为细末。

用糯米五升淘净，白茯苓五两去皮，同上糯米一处，蒸熟为用。将麻仁末一处，捣烂如泥，渐入豆黄末，同和匀，使用如拳大，再入甄①蒸，从初更②着火至半后夜住火，至寅时出甄，午时曝干捣为末，服之。以饱为度，不得吃一切物，用麻子汁下。

①甄：音 zhēn，陶器。
②初更：旧时每夜分为五个更次。晚七时至九时为"初更"。

头顿，一月不饥；第二顿，四十日不饥；第三顿，一千日不饥，第四顿，永不饥。颜色日增①，气力加倍。如渴饮麻仁汁，转更②不渴滋润五脏。若待吃食时分，用葵菜子三合为末煎汤，放冷服之，取其药。如后初间吃三五日，白米稀粥汤，少少吃之。三日后，诸般食饮无避忌，此药欲事。

①颜色日增：面容日益光泽明润。
②转更：反复饮用。

辟谷茯苓饼

白茯苓四两为末，头白面一二两。同调水煎饼面稀调①，以黄腊代油，傅成煎饼。腊可用三两，饱食一顿便绝食，至三日，觉难受，三日后，气力渐生。

熟果芝麻汤，米饮凉水，微用些少，润肠胃，无令润竭[2]。开食时，用葵菜汤，并米饮稀，少少服之。

注

①同调水煎饼面稀调：就像和煎饼面一样稀稠。
②无令润竭：不要让肠道枯竭干涸。

辟谷仙方

黑豆五升，净洗后蒸三遍，去皮　火麻仁二升，汤浸一宿，滤出，晒干，胶水拌晒，去皮，淘净，三遍，碓捣，下豆黄。

上为末，用糯米粥合和成团如拳大入甑蒸，从夜至子住火，至寅，取出于瓷器盛贮，不令风干[1]。每服一二团，以饱为度，不得食一切物。第一顿，七日不食；第二顿，七七日不食；第三顿，三百日不食。渴，即研火麻子浆饮，更滋润脏腑，容貌□常若。要重吃物，用葵三合杵碎，煎汤饮，开导胃脘以待中和无损[2]。

注

①不令风干：不要让药物被风吹干。
②中和无损：脾胃调和而没有损伤。

救荒代粮丸

黑豆去皮，一升　贯众一两　白茯苓去皮，五钱　吴术五钱　砂仁五钱　大甘草一两上切碎，用水五升同豆熬煮，文武火①直至水尽，拣去各药，取豆，捣烂，丸如鸡头子大，将瓦瓶密封，每嚼一丸，则任食苗叶可以终日饱，虽异草殊木②，素所不识，亦无毒，甘甜与进饭粮亦同。

①文武火：用于烧煮的文火与武火；文火，火力小而弱；武火，火力大而猛。
②异草殊木：奇异的花草，特殊的树木。

辟谷散

山药　连肉去心、皮　芡实去壳　白扁豆去壳炒　□豆去壳炒末，各二两　薏苡仁去壳，十二两　小茴香四两　粳米炒黄，二升

共磨为细末，每五钱，滚白汤①调服或用白汤调蒸糕食之，亦妙。

①白汤：小麦面粉煮出来的汤。

凡远行水火不便①或修行人欲得休粮②，用黄芪、赤石脂、龙骨各三钱，防风半钱，乌头一钱，炮于臼中，捣一千杵，炼蜜丸如弹子大。要行远路，饱吃一顿，服一丸，可行五百里；服二丸，可行一千里。

①水火不便：用水、用火不方便的时候，即不方便
做饭时。

②休粮：即辟谷。

防俭饼

栗子、红枣、胡桃、柿饼。将以上四果去核、皮，
于碓内一处捣烂。揉匀捻作厚饼。晒干收之，以防
荒俭①之用。

余见一僧化缘，但有所得，即置此四果捣烂，
印于砖瑰纸包，晒干收叠柜内，一两月晒一次，积
久至多，砌作一墙，人莫能知②。后遇饥荒，人皆逃
窜，而僧独留于寺中食此。予尝劝一富翁制此成墙，
以防饥馑③，行以贩济饥人，此莫大之阴功也。

①荒俭：指农作物收成坏或没有收成。

②人莫能知：别人都不知道。

③饥馑：也就是灾荒，指因为粮食歉收等引起的食
物严重缺乏的状况。

养元辟谷丹

用黄犍牛肉不拘多少，去筋膜，切作棋子大片，
用河水洗数遍，令血沫尽，仍用河水浸一宿。次日
再洗一二遍，水清为度，用无灰好酒，入瓦罐内，
黄泥封固，桑柴文武火煮一夜，取出焙干为末①，如
黄沙色者为佳，焦黑者无用，每牛末一斤加入后药

一斤为则。

人参四两　白术去芦，陈土炒　白茯苓去皮为末，水浮去筋，晒干　薏苡仁炒　怀山药小润，切片，同葱盐炒黄，去葱盐不用　莲肉葱盐妙，去心，并葱盐不用　芡实仁去壳，上各半斤　小茴香四两干姜炒，四两　白扁豆姜汁炒，半斤　砂仁炒，二两　青盐四两　甘草四两　乌梅肉二两，熬浓汁半甑　粳米炒黄取净粉，五斤半

上药为末与米粉、牛末和匀，外用小红枣五斤、陈年醇酒五斤，煮枣极烂，去核加炼蜜[2]二斤半，共和为丸，如弹子大。

①焙干为末：烘焙干并碾成粉末。
②炼蜜：加热过的蜜。

每服二丸，不拘冷热汤水，任嚼吃，一日服三五次，永不饥。按此方实道之妙用，遇荒乱之时可以避难济饥[1]，虽一两[2]不食不损胃中元气。宝之！宝之！如渴只饮冷水，能安五脏，消百病，和脾胃，补虚损，固元气，填精补髓，能令瘦者肥老者健，常服为佳。

①避难济饥：躲避困难，消除饥饿。
②一两：一两天。

115

观音辟谷丹

嫩松香一斤，要择嫩乳软黏手者佳。野菊花蕊，方收萼①未开，名金弹子，晒干为末。以菊花拌松香不黏手为度，如黏手再加菊花末，同杵千余下为丸，如弹子大。每服一丸，吃凉水三口，可一日不饥②。如要解③，吃胡桃二个即解。

注

① 萼：在花瓣下部的一圈叶状绿色小片。
② 一日不饥：一直不饥饿。
③ 如要解：想要解除这种状态。

助阴养老膏

陈皮　青皮　枳壳　桑白皮　杏仁　人参柴胡　白术　当归　白芥子　芍药　天冬　麦冬　苏子　茴香　萝卜子　三棱　莪术　大黄酒炒　山楂厚朴姜炒　香附子　神曲　麦芽甘草　知母　贝母瓜蒌仁　枳实　阿胶　天花粉　青木香　当渴加乌梅肉

上为末，以天麦二冬①各搅汁慢火熬煎，少注白蜜，再煎收瓷器内，每服去一二匙，入滚白水内调散服之，能养胃健脾，化痰顺气，定喘止咳。此老年妇女及孀妇兼有滞郁②者宜之，但中气③弱者不宜。

注

① 天麦二冬：即天冬、麦冬。

②滞郁：食滞气郁。

③中气：指中焦脾胃运转机能的原动力。对食物的
　消化、身体的营养有重要作用。

大黄芪丸

　　黄芪　柏子仁　白术　天门冬　远志去心　薯蓣
干地黄　泽泻　麦门冬　人参　甘草炙　薏苡仁
石斛　五味子　牛膝　防风　肉苁蓉　茯苓　枸杞
子　茯神　干姜　车前子　丹参　山茱萸　阿胶炙
狗脊　菟丝子　萆薢　覆盆子　杜仲　巴戟天

　　上三十一味，各一两，捣筛炼蜜丸，酒服十丸，
日二，稍加①至四十丸。

注

①稍加：逐渐加量。

　　性冷者，加干姜、桂心、细辛各二两，去车前
子、麦门冬、泽泻。多忘者①，加远志、菖蒲各二两。
患风者②，加独活、防风、川芎各二两。老人，加牛
膝、杜仲、萆薢、狗脊、石斛、鹿茸、白马茎各二两。
无问长幼，常服勿绝③。

注

①多忘者：健忘的人。

②患风者：患有风寒的人。

③常服勿绝：经常服用，不要间断。

福寿丹书

福 读经典
寿 学养生
丹
书

FU
SHOU
DAN
SHU

三
福

福

读福经典

学养生

福寿丹书

FU
SHOU
DAN
SHU

三
福

百日以内慎生冷、酢滑、猪、鸡、鱼、蒜、油腻、陈宿[1]、郁浥[2]。百日后，惟慎猪、鱼、蒜、生菜、冷食。五十以上，虽暑月三伏时，亦忌饮水，依此法，可终身常得药力。药有三十一味，合时或少一两味亦得。宜服之能治虚劳百病，屡试得效。

注

①陈宿：隔夜的饭。
②郁浥：潮湿不干。

太极丸

凡人五脏，配天五行，一有不和则为疾[1]。药有五味，各主五脏，可使调和，故曰太极。

胡桃仁属木，主润血气，凡血属阴，阴恶[2]湿，故油以润之，佐故纸有水火相生之妙。方书云：黄柏无知母，破故纸无胡桃仁，如水母之无虾也。去黄皮三两二钱，研如浆无渣，入诸药内用。

注

①一有不和则为疾：只要有不调和就会产生疾病。
②恶：厌恶。

广砂仁属土，主醒脾[1]开胃[2]，引诸药归宿丹田，味香而能窜，如五脏冲和之气，如天地以土为冲气也，去壳先将五钱、花椒一两，拌炒香去椒不用，又用五钱不炒，共为净末一两。

肥知母属金，主清润肺金，若以降火，佐黄柏为金水相生之理，酒浸去皮，焙干二两四钱。

注

①醒脾：芳香健脾药健运脾气以治疗脾为湿困、运化无力的病证。

②开胃：使胃口增大。

川黄柏属水，主滋肾水，苦以坚精①，将皮剥去，用盐酒浸之三日，焙如褐色三两六钱。

破故纸属火，主收敛神气，能使心胞络之火，与命门②相通，助元阳，坚骨髓，充实涩，以治脱③也。酒洗新瓦焙香，为净末二两八钱。

上五味各制如法，足数和匀，炼蜜丸如桐子大，每朝夕用白汤或茶酒，任意送下。

注

①坚精：闭固肾精。

②命门：一般指右肾。

③脱：即脱证，由于中气不足而导致人体脏器下坠。

八制茯苓丸

白茯苓用云南结实者佳，去皮二斤半，打碎如枣大，分作八分，听后制法 箭黄芪蜜炙六两，切片，用水六盏，煎至三盏，去渣，同茯苓一分，煮干为度 甘枸杞去蒂，用水六盏，煎至三盏，去渣，同煮茯苓以干为度 破故纸①用盐酒炒香，研细六钱，以水八盏，煎至三盏，同煮茯苓一分，以干为

度　何首乌半斤，切片，黑豆一升煮，水五碗浸首乌三日，将汁同煮茯苓一分，以干为度　好人参六钱，用水五盏，将参切片，煎至三盏，去渣，同煮茯苓一分，以干为度　真秋石四两，用水三盏化开，同煮茯苓一分，以干为度　人乳半斤，同煮茯苓一分，以干为度　肉苁蓉酒洗去鳞甲，四两切片，用水六盏，去渣，同茯苓一分，煮干为度

上将制过茯苓，入石臼内，捣为细粉，上甑蒸熟，众手为丸，如桐子大。每服四十丸。种子者②，空心淡盐汤下，乌须明目者，白滚汤下。忌烧酒、犬肉。

注

①破故纸：即补肾脂，有温肾助阳、纳气、止泻的功效。
②种子者：想怀孕得子者。

凡修合，须用平定开成生气续世黄道吉日。先一日午时，将诸药煎制煮茯苓捣末，待次日子时完成，微火烘干，不见风日①，忌孝服妇人、鸡犬，并四废六不成日。慎之！慎之！能治虚损，生心血，乌发须，明目，固精，女人滋颜色，暖子宫，调经②益气。

注

①不见风日：不能被风吹日晒。
②调经：调理月经。

长春广嗣丹

人参去芦　赤石脂另研　天门冬去心　白茯苓去皮　石菖蒲九节者佳　车前子　当归酒洗　覆盆子去梗　柏子仁炒　泽泻去毛　五味子　巴戟天去心　木香各一两　山茱萸去核　地骨皮　山药姜炒　川椒炒，去目　怀生地　怀熟地　川牛膝去芦，酒洗，晒干　杜仲姜汁炒，各二两　远志去芦　甘草汤泡，去心　肉苁蓉酒洗，去鳞甲晒干　枸杞子各二两　菟丝子酒洗，蒸透捣饼①，四两

上二十五味，各为细末，炼蜜为丸，如梧桐子大。

①蒸透捣饼：蒸熟捣碎，制成饼状。

每服五十丸，渐加至七八十丸，空心盐汤或酒送下。服十日后，小便杂色①，是旧疾出也。又十日，鼻酸声雄②，胸中痛，咳嗽吐痰，是肺病出也。一月后，一应七情滞气沉痼③冷积皆出。

①小便杂色：小便出现杂乱的颜色，即小便不清澈。
②鼻酸声雄：鼻子发酸，声音沉闷。
③沉痼：陈旧难治的疾病。

百日容颜光彩，须发变黑，齿颊重固，既老而康，目视数里，精神百倍，寿命延长。种子之功，百发百中，

偶得此方，最有奇念。专治男子劳损羸瘦，中年阳事不举①，精神短少，未至五旬，须发早白，步履艰难，妇人下元虚冷②，久不孕者。

注

①阳事不举：指男性在性生活时，阴茎不能勃起或勃起不坚或坚而不久，不能完成正常性生活。
②下元虚冷：肾的元阴、元阳虚损。

补肾种子黑发乌须奇方

怀熟地八两　山茱萸酒浸，去核净　巨胜子①韭子微炒存性　冬青子　旱莲膏熬法在后　菟丝子去沙土净，酒浸煮三日夜，令透热，捣为薄片晒干　沙苑蒺藜如羊肾样者　覆盆子去蒂，东流水浸一宿，净干，各四两　白伏苓去皮　枸杞子甘州者去蒂柏子仁　五加皮　当归各三两　人参一两　楮实子净去皮，好酒浸，浮者不用②，止三两　肉桂用一两何首乌六两，如干者，米泔水浸，竹刀削去皮，黑豆拌蒸，鲜者止用六两一个　升麻五钱　续断　莲蕊各二两

　　上药俱忌铁器，共为末，炼蜜为丸，如梧桐子大。

注

①巨胜子：即黑芝麻，有益肝肾、乌须发等功效。
②浮者不用：漂浮起来的不能使用。

每服六七十丸，或百丸，空心盐汤或温酒送下。能体肥身健，固精旺气①。

熬旱莲膏法：取旱莲草，不拘多少，或百十斤，捣汁，用砂锅熬成砂糖样，瓷碟盛，晒干。

注

①旺气：增加气力。

二仙十八宿延年益寿神丹

大何首乌，用红白种，忌铜铁器，用米泔水浸之二宿，竹刀刮去粗皮，切成颗粒，取五斤净。用黑豆一斗拣净，以水泡涨，同首乌入甑内，层铺层间①，砂锅内蒸二炷香，取起，日晒夜露，又晒又蒸，共七次。去黑豆不用，又用黑牛头蹄一付捣碎，同首乌入甑蒸三炷香取出，去牛头蹄不用，俟②牛膝、巨胜子同蒸，即与仙茅、白龙须、牛膝、巨胜子晒干，入石臼内，捣作细末听用。

注

①层铺层间：两药间隔分层铺好。
②俟：等待。

仙茅，川中俱有，惟成州者佳，叙州群即古戎州也，以翠屏山者尤佳。八月采之，采时忌声易得①，去芦叶，及附根，净洗。忌铜铁器，用竹刀削去粗皮，槐木砧②上，切成颗粒，用糯米汁水浸一宿，将棍子

123

搅动去涎毒③。又换豆汤浸一宿，捞起晒干，用好酒拌湿，入甑中用砂锅内蒸，从巳至亥，以香熟味如地黄方妙，取起晒干；又用酒拌蒸，如此十次。

①忌声易得：不发出声音时，容易找到。
②砧：指切物用的砧板。
③涎毒：毒液。

用三斤白龙须洗净，晒干一斤，川牛膝去芦洗净，取二斤半净。同首乌入甑蒸三炷香，取出，日晒夜露①，择出牛膝。另取巨胜子三斤，去灰土，同首乌入甑蒸三炷香，取出，日晒夜露，择出巨胜子，另收听用。白茯苓去皮为末，用长流水浸三日，去筋膜，及②浮水面者，取沉底白粉三斤晒干。用粳米二斤，泡一宿，同入甑蒸三炷香，取出晒干，去米不用。

①日晒夜露：白天、晚上都露天晾晒。
②及：抓，取。

甘枸杞，去梗，取斤半①净者，入人乳浸一宿，捞出，晒干听用。生地黄一斤四两净，用酒浸一宿，晒干听用。熟地黄一斤四两，自己取生地黄，用好酒浸拌湿，九蒸九晒②者方佳，勿犯铁器。

124

注

①斤半：一斤半。
②九蒸九晒：蒸熟后晒干，反复九次。

秦当归一斤半，净，用酒浸一宿，晒干听用　破故纸六两，酒洗炒香听用　人参用上好者一斤，水浸一宿，晒干用　五加皮去骨一斤，酒洗晒干听用　杜仲去粗皮，半斤净，用姜汁炒去丝听用　虎骨十两，净，用酥①炙脆听用　锁阳洗净，用酥炙脆听用　鹿茸四两，去毛，用酥炙听用　天门冬去心，取一斤四两，净，蜜水浸一宿，捞起晒干听用　菟丝子去土，半斤，净，用酒煮如膏，捣烂焙干，取净肉四两听用　肉苁蓉用酒洗去鳞甲，刮开去内白膜，晒干，取净肉四两听用

注

①酥：即酥油。

以上诸药，各为极细末，同前何首乌等末，合而为一，和匀，炼蜜和成膏。每日清晨，用百沸汤①调醇酒，调二匙，瓷碗内盖定，少顷启开，面东服之，能治急慢惊风②，口噤③全不能言，口眼㖞斜，手足瘫痪，筋脉拘挛，头目眩晕，半身不遂，遍体麻木，胸膈烦懑，神思恍惚，补元阳，壮元气，发白返黑，齿落更生，益寿延年，种子妊娠，返老还童。服之三年，效不可言，服之终身，乃成地仙。

125

福寿丹书

读经典 学养生

福寿丹书

FU
SHOU
DAN
SHU

三福

①百沸汤：久沸的水。

②急慢惊风：惊风是小儿时期常见的一种急重病症，临床以出现抽搐、昏迷为主要症状；急惊风来势急迫，以高热伴抽风、昏迷为特征；慢惊风，来势缓慢，以反复抽痉、昏迷或瘫痪为主症。

③口噤：口紧闭。

炼蜜法：上好白蜜二十斤，入砂锅内，或银锅内，炭火熬，滴水成珠①，方入于药内，以松柏枝不住手搅，俟匀，待微冷，用瓷坛内收贮，封口，勿令泄气②。

①滴水成珠：滴进水滴，形成水珠而不溶解。

②勿令泄气：不能漏气。

延年益寿不老丹

何首乌赤、白各一斤，竹刀刮去粗皮，米泔水浸一宿；用黑豆三升，水泡涨，每豆一层，重重铺毕，用砂锅竹甑蒸，以豆熟取首乌晒干，又如法蒸晒九次听用　赤茯苓一斤，用竹刀刮去粗皮，为末，用盘盛水，将末倾入水内，其筋膜浮在水面者不用，沉水底者留用。湿团为块，用黑牛乳五碗，放砂锅内，慢火煮之，候乳尽茯苓为度，仍碾为末听用　白茯苓一斤，制法同赤茯苓，亦湿团为块，用人乳五碗放砂锅内，照前赤茯苓仍碾为末用　怀山药姜汁炒为末，净，四两　川牛膝去芦，酒浸一宿，晒干为末，

126

净八两听用　菟丝子去沙土净，酒浸生芽，捣为饼，晒干为末净，八两　甘枸杞去梗，晒干为末，净，八两　杜仲去皮，姜汁炒断丝为末，净，八两　破故纸用黑芝麻同炒熟，去麻不用，将破故纸碾为末，净，四两

上药称足和匀①，炼蜜为丸，梧桐子大。每服七十丸，空心盐汤或酒下。忌黄白萝卜牛肉铁器，能乌须黑发，延年益寿，填精补髓。阴虚阳弱②无子者，服至半年，即有子，神效。

注

①称足和匀：称出足够的分量，混合均匀。
②阴虚阳弱：阴精阳气虚损微弱。

任太史秘传延寿方

鹿角霜一斤　覆盆子日干①，半斤　菟丝子半斤　余甘子去核净肉，曝干，二两，此味出建昌山谷中，七八月熟

俱为末，取鹿角胶半斤，用无灰酒②化开，入前药搅匀，和为丸，如梧桐子大。每早空心酒下五十丸。

注

①日干：应作"晒干"，下同。
②无灰酒：不放石灰的酒。古人在酒内加石灰以防酒酸，但能聚痰，所以药用须无灰酒。

取鹿角胶法：用鹿角不拘多少，截作一二寸长，于长流水内泡洗七日夜，尽去尘垢，取一大瓷坛，用猪毛泥①固外，晒干，将角入内。以桑白皮，铺地盖面，每十斤用黄蜡四两，好酒四大壶，同装坛内，仍用水淹②口，以桑柴文武火煮三昼夜，徐徐添热水，第三日取出角，晒干为末，即霜③也。将煮角之水，慢火熬成稀胶，收瓷器内，阴干，即胶也。

注

①猪毛泥：混有猪毛的泥土。
②淹：通"淹"。
③霜：鹿角霜。

益寿延年不老丹

生地黄三两　熟地黄三两，俱净用酒浸一宿晒干　天门冬三两　麦门冬三两，俱用酒浸三时，取出去心晒干　白茯苓五两，去粗皮，切作片，酒洗晒干　地骨皮三两，洗净晒干　好人参五两　何首乌半斤，鲜者用竹刀刮去皮切片，干者用米泔水浸软，刮去皮切片。砂锅内，下用乌羊肉一斤，黑豆三合，量着水用，上加篦①放此药，复覆盖蒸两个时辰，取出晒干

上共为细末，炼蜜为丸，如梧子大。每服三五十丸，用酒送下，清晨服之。此药千益百补，服半月一月，自觉健旺不同，常服功效不可胜言。得此方者，不可以药易而轻忽②，实吕祖之仙梯③也。

①篦：音 bì，一种齿比梳子密的梳头用具，
　称"篦子"。
②不可以药易而轻忽：不能够改变药物并轻视忽
　略它。
③仙梯：成仙的方法。

少阳丹

又名四味龙芽，虚名一百三味。

一名乌嘉龙芽凡有四，采春苗、夏花、秋子、
冬皮是，枸杞合用一斤为末。

一名天琐龙芽是苍术拣净，用一斤，米泔换浸
一宿为末。

一名锦绣龙芽桑椹，用紫熟的一斤，制为汁合
前药。

一名百花龙芽蜂蜜一斤，乃一百三味也。

上前药，石臼内捣为细末。用新瓷盆，将椹子汁①，
同药末一处调匀，用细绢蒙盖盆口，放在月台净处，
积受日精月华②之气。

①将椹子汁：榨取出桑椹的汁液。
②日精月华：太阳星与太阴星所散发出来的光华。

煎①干复为末，炼蜜为丸，如梧子大。每服三十
丸，渐渐至五十丸，空心用盐汤或酒送下，日进一
服②。服一年返老还童，耳目聪明，头白返黑。服二年，

冬暖夏凉，诸病不生。服三年，齿落更生，健步轻身，秘之！秘之！

昔日一人双目不见，服此一年即明。又海州二木匠，患疯疾，得此即愈。

注

①煎：熬。
②日进一服：每天服用一次。

班（斑）龙丸

鹿霜　鹿胶　菟丝子酒浸二日，蒸焙为末　柏子仁去壳，洗净　熟地酒浸三日，蒸，各十两，焙干为末

上先将鹿胶用无灰酒于瓷器内慢火化开，却将胶酒煮，糊如三桑，杵二千下，丸如桐子大，每服五十丸，空心盐汤送下，或酒亦可，或有加减者①，与前人立方之意，恐有不宜②，此药理百病，养五脏，补精髓，旺筋骨③，益心志，安魂魄，令人驻颜延年。

注

①加减者：增加或减少方中的药物。
②恐有不宜：恐怕有不合适的地方。
③旺筋骨：补益筋骨。

老龙丸　即固精还元丹

老姜半斤　胶枣半斤，去皮、核　陈皮二两，

去白　大甘草二两，去皮　公丁香　沉香俱要好者
白盐各二钱五分

　　七味为末，均捣，饭甑上蒸七次，用瓦器收，
陆续为丸。大者三分一粒，小者一分一粒，日夜可含，
每日止用三分①，四季可服。服久，三日一蒸可也②。

注

①每日止用三分：每天只能服用三分。
②三日一蒸可也：三天服用一次也可以。

乌须发补元气万应丹

　　好人参七钱　枸杞子二两，净　蛇床子　菟丝
子酒炒　石菖蒲酒浸　牛膝姜汁浸，各六两　茴香
三两一钱，净　麦门冬去心，酒浸　天门冬去心，
酒浸，三两一钱　熟地黄酒浸成膏①，净，各八两

　　上为末，蜂蜜二斤半炼为丸，梧子大，每服
二十丸或酒或盐送，清晨服。

注

①酒浸成膏：用酒浸泡成膏状。

乌须方

　　用五倍子打碎，去灰，用铜锅炒豆豉，起黑色，
将青布一大片，浓茶打湿，先放地上，将五倍子包
裹，脚踏成饼，要看火色①，莫炒太过了，称过一钱，

红铜末上，好醋炒七次，以黑为度，筛过细末三分、没石子二分、明矾二分、食盐二分。上面半分 俱为细末，用极其浓仔细茶调煎，如镜面样方好，每用敖②上，以皮纸包过一夕后，用核桃油染之。

注

①火色：火候，程度。
②敖：同"熬"，煎熬。

黑发乌须方

黑豆五升，拣去扁破①。用一大砂锅，将乌骨老母鸡一只，煮汤二大碗。无灰老酒二大碗，何首乌四两，鲜者用竹刀削碎，陈者用木槌打碎。陈米四两，旱莲草四两，桑椹三两，生地黄四两，归身四两，破故纸二两，俱为㕮咀②，拌豆。以酒汤为水，砂锅大作一料，砂锅小作二料。用文火煮，豆以干为度。

注

①拣去扁破：摘拣出扁平破碎的。
②㕮咀：音 fǔ jǔ，中医学用语。用口将药物咬碎，以便煎服，后用其他工具切片、捣碎或锉末，但仍用此名。

去药存豆，取出晾去热气，以瓷罐盛之。空心用淡盐汤，食豆一小合。以①其曾用鸡汤煮过，早晚宜慎乎盖藏妥②，以防蜈蚣也。食完再制，但自此永不可食萝卜。服至半载，须发从内黑出，目明如少，且又能鏖战，极妙。

①以：因为，由于。
②盖藏妥：盖紧藏好。

神妙乌须方

用麻油烟五钱　核桃脯①一两　麝香一分

共为末，大小竹筒盛，埋冬青树下，七日化成水，将水拈须上即黑。

①脯：原作"蒲"，据文意改。

乌须固齿散

白茯苓　大当归　北细辛　青盐各四两　何首乌五两　小川芎　甘枸杞　没石子　荆芥穗各二两半

上俱研为细末，再用极陈老米一升，久煮待成浓饮①，取起。将前药末，尽皆入内，和匀，作一饼团，以新瓦罐盛，盐泥固封口，外用湿泥复封，投火煅炼，烟尽为度，随入缸内闷息②。

①浓饮：浓稠的粥。
②随入缸内闷息：随后放入缸中把火闷灭。

取出贮在潮地上，片时取出，研成极细嫩末，以铅盒盛藏。每日清晨及临睡，以百沸汤，待温擦净牙齿，再蘸药末擦牙上下[1]，其药水不可漱去，少停一二刻吞下。更随随[2]吐出些，抹须鬓上，日久，须黑齿固，妙不可言。但要忌三白[3]，亦不可间断。

注

① 牙上下：即牙龈。
② 随随：随意，随便。
③ 三白：指盐、萝卜、饭。三者皆白色，故称"三白"。

乌须黑发神仙梳

用黑铅半斤，打一匣如腰子[1]样。又用黑铅造成梳子一个，磨刮干净。又用榉柳叶二两，旱莲草五两，何首乌一两，五倍子一两，明矾一钱，乌豆半升，干蝉蜕一两。用新砂锅一口，将前药入内，以六七碗水，煮三炷香为度。如三炷香之前，若干，则再加水煮。以水熬成膏子，入铅匣内，再加水银一钱，制过五倍子末二钱，制过桐末一钱，以铅梳入内藏，浸六七日。后用梳梳其发须，三七[2]可管二年。

注

① 腰子：即肾，人或动物的主要排泄器官。
② 三七：二十一天。

换须妙白方

旱莲花　没石子　活猪鬃头上者佳，各等份

先将没石子入铜挑内炒黑，次将余药逐样炒黑存性[1]，勿至成炭。然后以柳枝汁、生姜汁、磨母丁香者匀讫，研为细末。将绢筛一起，又将粗者研细，再筛极要嫩[2]。

注

①炒黑存性：药物在炒黑的同时仍应保存药物的固有气味。
②嫩：即细。

用时以姜汁磨前药，先以白须者，将药水点记在何处，一点下，即以药点其孔眼，觉有药入孔眼[1]内方好。须摘一根[2]，即点一根，恐迟孔眼复闭[3]药不能入。用点药者，须眼光入，药果入，则后生出须必黑，屡验奇方。

注

①孔眼：毛囊空中。
②须摘一根：拔下一根胡须。
③孔眼复闭：毛囊空会再次闭合。

长发方

凡男妇小儿，头上有疤，或不华发者[1]，用驴油、生姜汁二味，先搽姜汁，复搽热驴油，次第搽之，其发自生。

福寿丹书

读经典 学养生

福寿丹书

FU
SHOU
DAN
SHU

三福

又方　用大附子一个，一两重者，为末。再用乌骨黑肥鸡一只，炼取其油，搅药末搽上，即生[2]。

注

①不华发者：不长头发的人。
②即生：马上长头发。

生眉方

用芥菜子、半夏二味为末。以生姜自然汁，一调搽数日，生眉黑色。

打阳起石法

拣选真正好阳起石打碎，用好烧酒浸一宿，捞起。每两樟脑二钱[1]，同研一处，入固济阳城罐内，上用灯盏封口，牢密。八百眼炉上，用水注盏[2]，先文后武，打火二炷香，冷定[3]取开。升盏上者可用，沉重在底者，勿用。

注

①每两樟脑二钱：每一两阳起石配二两樟脑。
②用水注盏：把水注入灯盏中。
③冷定：冷却以后。

打灵砂法

用青金[1]，或一斤，或二斤，入固济罐中，量有半罐上用铁灯盏坐口，存一孔如箸[2]大出烟。先用文火，渐至武火，盏内着水，炼一日住火，次日取开。

灵砂尽结灯盏之下，一饼明如朱砂，是为灵砂。

注

①青金：铅的别名。

②箸：筷子。

福寿丹书

读经典 学养生

福寿丹书

FU
SHOU
DAN
SHU

四福

采补篇
（四福）

采补篇引

余弱时尝戏为十狐传，以寓采补之功，不知者以为诲淫①也。于是养圭食癸，展缩收放，一切泥水秽道，当世尚②之甚。惟一三道人雅嫉之，辄③诋其书，斥其人，坏其言。且曰：身中上药，精与气神，炼而服之，为道为仙，安有求之外乎是？

注

①诲淫：引诱别人产生淫欲。
②尚：推崇，崇尚。
③辄：总是。

虽然一三道人真儒也，即言玄①言道，不离其经，第如世人之不获已何。夫世人之不获已者，欲其至也；而有心于道，而必不能遽绝于所以为道害者，欲其至。左师触之说赵太后也，欲太后之不爱其子而不说，以太后之无爱其子，反说太后以甚爱其子，夫说之以甚爱其子而后，得太后于无爱其子矣。引世人于道者，何亦必不如是也。

注

①玄：深奥的道理。

夫世人之嗜色①，亦犹太后之爱子也，使之思，所以长嗜夫色，而后得其，不徒然一嗜夫色而已。则莲池在火坑朽腐，即神奇之意也。特患世人之不知也，而又以为诲淫也，不惜秘文②，惟知者用之。

注

①嗜色：嗜好情欲。
②秘文：秘密隐蔽地著书。

云林虚子应圆题

吕祖御敌既济真经

上将御敌，工挹①吮吸，游心委形，瞑目丧失。

上将，喻真修之人也。御，行事也。敌者，女人也。初入房时，男子以手抱挹女阴户，舌吮女舌，手挹女乳，鼻吸女鼻中清气，以动彼心。我宜强制，而游心清虚之上，委形何有之乡②，瞑目勿视，自丧自③失，不动其心也。

注

①挹：拉。
②委形何有之乡：依附在空洞而虚幻的境界。
③自：疑为"勿"。

欲击不击，退兵避敌①，修我戈予，似战复畏，待彼之劳，养我之逸。

欲击，彼欲动也。修，彼手来摩弄也。似战，我似战也。彼动我动矣，我反不动，而退身以避之。彼必来摩弄我阳物，我即示以似战之状，而复诈为畏怯②之形，待彼之劳，以养我之逸③也。

注

①避敌：躲避女人。
②畏怯：害怕怯懦。
③逸：安逸，安乐。

盗兴凭陵，魔兵猬臻，吾方徐起，旗旌①出营，交戈不斗，思入冥冥，彼欲操刀②，破我坚城，深沟高垒③，闭固不惊，时复挑战，敌兵来迎，如不应者，退兵缓行。

注

①旗旌：旗帜的总称，借指军士。
②操刀：持刀，执刀。
③深沟高垒：深深的沟壑，高高的墙垒。

盗者，彼也。彼之情兴已浓，其势似魔兵之猬起，我当徐徐应之，但交而不斗。斗谓动也。思入冥冥者静以待之，心不为之动也。致彼欲斗而不得，必自下动以撼吾上，吾瞑目闭气，如忍大小便，吸缩①不为惊动，良久复一挑之。挑亦动也，彼必大发兴而应我。夫倘彼不应②，即当退却，止留寸许于内也。

注

①吸缩：吸气，提肛。
②倘彼不应：如果对方没有回应。

敌势纵横①，逼我进兵，吾入遂走，偃仰②其形，如僵如仆。敌必来凌，吾谓敌人，我今居下，汝处居上，上亦了了，彼扰我专，无不胜焉。

注

①纵横：放肆，无所顾忌。

②偃仰：翻身仰卧。

　　胜者，我胜彼也。敌兴①大发，必逼我进兵，吾不可不答。遂入坤户②，即退于外，翻走仰卧，如僵仆之形。彼之欲心张狂，复来击我，我遂居下，令彼在上，而诱之自动，则我专③而必胜也。

注

①兴：兴致，兴趣。
②坤户：即阴户。
③专：专心，集中精力。

　　敌既居高，以高临下，我兵戒严①，遂控我马。龟蟠龙翕，蛇吞虎怕，撼彼两军，令彼勿罢。觉我兵惊，使之高住②，勿下勿斗，候其风雨。须臾之间，兵化为水③，敌方来降，我善为理。俾其心服，翻为予美，予亦戢兵，退藏高垒。

注

①戒严：意指警戒。
②高住：高挺。
③水：真精，对方的先天之精。

　　此至要心诀，重在龟蟠龙翕、蛇吞虎怕八字。瞑目闭口，缩手蜷足，撮住谷道，凝定心志，龟之蟠也。逆吸真水①，自尾闾上流，连络不已，直入泥丸，龙之翕也。蛇之吞物，微微衔噬，候物之困，复吞而入，必不肯放。虎之捕兽，怕先知觉，潜身默视，必待必得，用此四法，则彼必疲，乃以手撼彼两军。撼，拈也。两军，乳也。使之兴浓不杀[2]，又戒之腾身高起，勿动勿下，候彼真精降下，则彼心怠[3]，我反善言挑战，彼既心服，而我得其美，则收敛而退藏于密矣。

注

①逆吸真水：逆行吸收对方的真精。

②不杀：不行动。

③心怠：内心疲倦。

再吮其食，再挹其粒，吮粒挹密，短兵复入。

此第二次行事[1]也。食者舌也，粒者，乳也。密者，阴户也，短兵，缩则短也。复入，复入慢战以动之也。

注

①行事：行房。

敌兵再战，其气必炽[1]，吾又僵仰[2]，候兵之至，以吾兵挺，阖彼风雨，愈降愈下，如无能者。

候者，候风雨也。阖吸也，此至要之言。愈降愈下，心志灰然，如无能者，以阖之也。

注

①炽：火热，即热情。

143

福寿丹书

读经典 学养生

FU
SHOU
DAN
SHU

四
福

  敌人愈奋，予戒之止，两军相对，不离咫尺。
与敌通言①，勿战勿弃，坐延岁月②，待其气至。心
愈如灰，言温如醴，以缓自处，缓以治彼。

  愈奋者，彼动不止也。予乃戒之，止而不动。
彼上我下，两军也。不离咫尺者，留一寸在内，余
在外也。又待其精气下降，又必我心愈如灰死③。而
言语须甜温，使彼兴浓，而我缓以待之也。

注

①与敌通言：与对方交谈。
②岁月：即时间。
③心愈如灰死：心境淡漠，毫无情感；这里指要控
 制情绪，压抑心情。

  我缓彼急，势复大起，兵刃既接，入而复退。
又吮其食，又挹其粒，龟虎蛇龙，蟠怕吞翕。彼必
弃兵①，我收风雨，是日既济，延安②一纪。收战罢兵，
空悬仰息，还之武库，升之上极。

注

①彼必弃兵：对方必定气势下降。
②延安：延寿。

  大起，兴浓也。彼兴既浓，我当复入，深浅如
144 法，间复少退，又必吮其舌，挹其乳，依前行动，

则彼真精尽泄，而我收翕之矣。既济者，既得真阳
也。一纪，十二年也。一御而得真阳，则能延寿一
纪。武库，髓海^①也。上极，泥丸也。罢战，下马也。
当仰身平息，悬腰动摇^②，使精气散布，上升泥丸，
以还本元，则不生疾病，而长生可得矣。

注

①髓海：人体四海之一，指脑。
②悬腰动摇：挺直悬起摇动腰部。

为山九仞，功始一篑。匪德匪传，全神^①悟入。

九仞，为九天仙也。一篑，一采也。一采延寿一纪，
百采百年可知也。是长生始于一篑，然非有德不传，
若有德，则神全而心静，故能悟之^②而可行也。

注

①全神：全部精神集中在一点上，形容注意力高度
　集中。
②悟之：领悟其中的方法。

福寿丹书

读经典 学养生

福寿丹书

FU
SHOU
DAN
SHU

四福

吕祖采补延年秘箓

吕祖曰：心属火，火气盛，则阳事[1]举，心气弱，则阳事蕤[2]。虽美女百态千娇，欲战而无奈也。总然入炉[3]，不久即泄，反输精于女子。今此术可战代十女，犹然固闭，难以笔舌尽陈。

注

①阳事：阳具。
②蕤：草木之花下垂的样子。
③炉：女子。

侍中曰：精者，神气之聚也；散在四肢，为气为髓，聚为气海；为精为神，相气运用，使久而不泄，此化精之妙也。今人不知妙术，妄用针灸药敷，熏洗淋渫[1]，苦楚百般，皆不足取[2]。今受[3]一术，俱非此类，而通仙道，其世可得闻，请试用之。

注

①渫：除去，淘去污泥。
②皆不足取：都不应该采用。
③受：传授。

置鼎第一

夫安置鼎器者，乃中乘[1]之法，阴阳交济之道也。择佳治十五六以上，眉清目秀，唇红齿白，面貌光润，皮肤细腻，声音清亮，言语和畅[2]者，良器也。若元气虚弱，黄瘦粗肥，经候不调③，赤白带下，四旬上下，不可用矣。

注

①中乘：中等。
②和畅：和暖舒适。
③经候不调：月经不调。

凡与之交，择风雨暄和之候①，定息调停，战之以不泄之法。先徐徐摇动，令女情动昏荡，男子手扣其阴户，待滑水溢出方可刺入。上则紧哑其舌，以左手搠②其右胁下，令神惊精出③，吸其气，和液而咽之。更玉茎亦吸其阴精入管，如水逆流直上，然后御剑，则神妙矣。

注

①候：天气。
②搠：扎，刺。此处为推。
③令神惊精出：使对方精神不安而吐出精气。

锁闭第二

夫大锁封闭者，乃撒手过黄河之法也。凡性急之人，须半月方可①闭住。初下手时，未便惯熟，倘或精泄，只是清水②。初交之际，用三浅一深，渐渐至九浅一深。往来扇鼓三百余次，但觉欲泄，急退玉茎，按阴额，以右手三指，于谷道闸住。把一口气提上丹田咽气一口，澄心定虑③，不可动作。少顷

147

福

读 福 寿
经 学 丹
典 养 书
　 生

FU
SHOU
DAN
SHU

四
福

将玉茎复振，依前扇鼓。若情动蹲身，抽出玉茎，如忍大小便状，运气上升，自然不泄矣。

注

①方可：才可以。

②清水：所泄之物内没有精气。

③澄心定虑：澄清心思，安定顾虑。

一法左手掩右鼻孔，右手掩左鼻孔，闭目正坐，待少时引口中气，吹一口，吸三口咽之。以两手紧捏拳①，抵腰腹，将身掇三掇。却以手紧抱头，将身摆三摆，依旧正坐。以两手擦腿三五十下，觉身热，匝舌抵上腭。少时，用津液三咽②，气觉到腰，下地直立，以臀夹定谷道，又咽三口气则止。若便去行用，只依常法，到情浓时，急以舌抵上腭，咽津一口，亦将臀夹定谷道，其精不走③。

注

①捏拳：握拳。

②用津液三咽：咽三次口水。

③不走：不泄。

如此行数次，永不走泄。若初学时，只可一夜不走泄，一日门路闭遏。交感，以手抵腰，虚迭三次，手抱昆仑①摆三摆便了。欲交感，以左手中指，抵②龟根三下，再入炉，依旧咽津一口。但要紧夹定一尾闾，由他如何，至三五日不泄，亦不妨。要泄时，左手龟头三下③，顺气一口，即泄。

注

①昆仑：道教用语，指头脑。
②抵：顶，按。
③左手龟头三下：左手按龟头三下。

御女第三

　　夫房中术，行至一次，身体不倦，至三次，扇鼓①至一万二千八百之数，依前提身缩龟咽气一口，至丹田，急缩下部②，不令走泄，第一上峰始采女子口中津液咽之。次中峰，复采乳汁吞之。三下峰，闭气蹲身如龟状，急缩下部，采其红铅③，从尾闾，运上昆仑顶，散于四肢，返老还少，不生诸疾矣。

注

①扇鼓：即抽插。
②下部：即阳具。
③红铅：妇女的月经。

　　一法，凡欲行①时，隔夜先将大缩砂七个，白汤咽下。次早不得吃汤水，先用熏洗药，少时用绵带子系稍紧，候物微坚，阴青翻然，不可太过。须是择炉，令妇人仰卧，不用枕头，开两股，男子前手把磨，后膝着席，先定神默想漱津，仰视眉尖。先闭②其口，以鼻管吸气，咽入丹田，想其气已到，方垂头刺入阴门。

注

①行：行房。
②闭：崇祯本作"开"。

    复昂头瞑目，闭气凝神，徐徐动摇，往来之间，
妇人美畅。男子欲泄一紧，以身凸向前，尽送茎物，
以谷道吸七次，其精自然运化不泄。如此行持七次。
但气弱者，先用好酒入盐调和，吞鹿茸丸五十丸，
更加七次。盖欲伏少阴气①，以助真阳。养在炉一
茶时②，不得泄，自然胀满作热，勿得解带。苟③释
其缚，则泄阳气，无功矣。七日一次，行满七次，
其功久久则成饱健矣。

注

①伏少阴气：获得少量阴精之气。
②一茶时：喝一盏茶的时间。
③苟：如果。

精气第四

    凡人论成功，止其不泄①，未足为奇，要在还精
采气②，斯为大道。凡扇鼓至千百之数，女有阴交三
穴③，一两乳，二两胁，三两肾也。往来扇鼓之际，
候其声娇色变，眼慢口合，手冷心烦。彼时急缩下部，
蹲身如龟，其化中津液，自我灵柯吸入，合自己元
阳，从尾闾夹脊透上泥丸宫，再降入丹田，滋养真
气，岂小补哉。

①止其不泄：仅仅是不泄精。
②还精采气：吸收采取精气。
③阴交三穴：阴精聚集的三个地方。

　　盖女一身属阴，惟津液属阳，故曰：水中铅，
阳数也，又名为红娘子。男子一身属阳，惟精气属阴，
故曰：沙中汞，阴数也，又名为白头翁。红①乃为铅，
白②乃为汞，真液相合，撒上泥丸，则齿发不落，面
颜如童矣。

①红：月经。
②白：精液。

金丹第五

　　凡采择时，先用绯线①折回耳门，比之鼻窍，然
后将绯线留周围颈项，如不大一米，未发也。研乳
香半钱，调好酒一盏吞下，煮羊肉四两，令女先服。
三五日一浴，或半月一浴。候天气晴明行之。于此
诱合②，候其情动，温存抱定，缓入阴户，向前进一
寸三分，其液自吾柯穴③入腹内，宝名曰返圣胎。

①绯线：红线。
②诱合：诱导其交合。
③柯穴：阴茎的孔道。

151

呼吸第六

凡交战，先须端坐，定气凝神，以鼻引清气，口呵浊气一二口，节次①叩齿，舌搅华池，咽液，行导引之法。然后将玉茎款款攻刺，候他情动，掐取彼右手子②纹，呲住他舌，取他津液一口，仍吸其气咽下，把定神气不走，缓缓入炉。若欲长大满炉，以聚气为法，次掐其第三中指文③，用九浅一深法，行三十五次，或百次。

注

①节次：逐次，逐一。
②子：通"指"。
③文：通"纹"。

再依前法，掐手指纹，取津液咽下，再进百次又取之，如此数次，妙不可言。如要不漏，频频出炉①，缩胁提吸②，或七九次，鼻内出气，或三五口。再若紧急，提吸不住，用手于尾闾穴关截，自然不泄。则玉茎常坚不软，非但阳欢③，抑且女畅。

注

①出炉：离开女人身体。
②缩胁提吸：收缩两胁，上吸一口气。
③非但阳欢：不仅仅男人欢欣。

凡采取之际，候女人情动，阴门张开，津液流溢，男子以静待动，不可深入玉茎，上则呲住舌尖，华池津出急接吸咽之，如此采战，自然两情适矣[1]。如欲退罢，即掐第三纹，吸虚空清气三口咽下，然后出炉。

注

①两情适矣：男女双方都感觉适宜。

亦不可便睡[1]，起而端坐，升身吐纳二三十口气，用黄河水逆流法，运归四肢，使安静方睡。如欲再战，复依前法。若要女子精气不损，行事时，还与他三五口气，令他接之。每一口气，分作三口咽之为妙，倘不还气，恐他黄瘦夭丧[2]。但行此法，数日后，看精神如何，如有怀妊，但以种子之法，顺而行之，一战成功矣。种子法见后。

注

①亦不可便睡：也不可马上就睡觉。
②黄瘦夭丧：面黄肌瘦，过早殒命。

展龟第七

夫欲展龟身[1]长大者，常于子时后，午时前，静室中，披衣端坐，凝眸静虑，常令腹中饥空，空则气血流通。仍集中乘导引法，闭气咽津，送下丹田，存想运至玉茎。以两手搓热如火，用一手兜托外囊[2]，并握玉茎，一手于丹田脐下腹上，左转摩八十一数致至。如前法，右转九九之数，乃咽津液，存至玉茎。用手将玉茎如搓索③，不计其数，如此行之，久久自然长大也。

注

①龟身：即阳具。
②外囊：即阴囊。
③如搓索：就如搓捻绳索。

搬运第八

凡行事毕，每日平旦，直伸两脚，左右压定①，闭目，用两手攀两足头②，九次。极力闭气，将身摇动，止许鼻中微微出气，令匀。凡行三五次，面如火热③，乃是真气上升泥丸矣。即以两手搓摩面项耳目，手时热，则放关矣。

注

①左右压定：左右两脚相互压着放稳。
②用两手攀两足头：用两手握住两脚掌。
③面如火热：面部像有火烘烤一样。

一搬运毕，仍平身仰卧，直手舒脚①，以头着枕上，脚根着床上，身体皆悬空②，极力摇动己身三五次，则精自然升上泥丸矣。噫，精为养命之本，悉宜知之③。

注

①直手舒脚：手脚伸直。

②以头着枕上，脚根着床上，身体皆悬空：头部枕在枕头上，脚跟放在床上，腰部上挺，身体悬空。

③悉宜知之：都应该知道。

流通第九

凡器既具，用黄河逆流之法，而奈战。每与之交，进退迟速俱至，行九浅一深之法，先行子午流通一次，使气脉通入炉。后缩起腰身，闭气不出，卷舌抵腭，以睛上视①，用手扳拿如钩，频频咽气，以候心定。若气极②，轻呵出之。掩耳闭气，存想气从夹脊上脑后，入顶门，散于四肢百脉。

注

①以睛上视：两眼向上看。

②若气极：如果憋气到了极限。

子午流通歌曰：面南正坐潜衣床，呼吸调匀静取浆①，吐纳二句令四数，咽精一口至三阳②。轻嘘复搅华池水，鼻引清气入小肠，晨起空心行九次，七朝③功满达仙乡。

注

①浆：口水，唾液。

②三阳：中医学谓太阳、少阳、阳明三经脉为三阳。

③七朝：七天。

六字第十

昔黄帝暗垂①密旨，深达玄机，恐后代学道之人，急于色欲，伤其性命，则示阴丹之诀。夫阴丹者，御女采气之术也。阳丹者，服之而升仙也。知妇人之本意，补泄损茎者，当交接之时，定其身心意不动②，则女情自来，女若定其心意不兴，则男情自来也。

注

①暗垂：暗中传下。
②定其身心意不动：坚定自己的内心意志不动摇。

神者气也，神固则气完①，气尽则神去，交接之气，心定则为一补，气泄则为一损，故男子百补而一损此之谓也。经曰：保养灵柯不复枯，闭却命门守玉都。灵柯者，上舌下茎也，玉都者，上口下阴也。玉浆上下俱流液，故号玉泉。彭祖曰：以人补人，真得其真。老子曰：强入②弱出，命当早卒；弱入强出，长生之术。

注

①完：完全。
②入：吸纳。

是以夫妻有化生之道①，阴阳有补益之机，且心为气主，意到即行。故男情不动，女意未来，阴户初开，别有消息，采其阴中之气，以助阳丹，则可永保性命。却老延年②法之要妙，在于六字之诀。此六字，各有次第，不得颠倒。言存便缩，既缩便吸，既吸便抽，既抽便闭，既闭便展，其序不乱，而功莫大焉。

注

①化生之道：化育生长的方法。
②却老延年：退却衰老，延长寿命。

　　一曰存者。交媾之时，存心物外[1]，虽交合不可着意，要在体交而神不交，若着意[2]，乃是神交，而精气易泄矣。惟不着意，纵然走失[3]，亦不多矣，但当停浊去清耳。当此之时，急用缩胁提吸，此名曰存，能久而行之不倦，并无漏泄之事。

注

①存心物外：心思超脱于交媾之事。
②若着意：如果仔细留心此事。
③走失：即泄精。

　　瞿仙曰：夹脊之骨，前有二穴，右命门，左肾门，即腰眼间也。汞气[1]从此出，采取之时，觉汞欲出，急定心意，存想汞气，自尾闾上入泥丸，良久用抽缩之法制之，纵走无害。能行此则气汞自干，自然成宝矣。

注

①气：原文作"器"，据崇祯本改。

②汞：精液。

二曰缩者。交接之时①，缩胁提吸，运气上行，不令顺下，气下则泄。若泄之际，如忍大小便状，灵柯渐退半步，提吸口微呼气②，咂定女舌，取他津液咽之，搂定，又吸他气一口，送下丹田，直入灵柯，三五次，渐渐龟形状大，不泄矣。

注

①交接之时：即行房事之时。
②呼气：呼气，吐气。

臞仙曰：采取之时，真汞欲来，便用力缩下①如急忍大便状，兼存想命门，将灵柯移种浅土寸半，良久汞乃止。然后正坐竖膝，抱玉山之顶②，急拍山腰，口含山龙③，待山云气兴作，此是阴气上升，山气发泄之候。当此之际，感之于中，取之于外，急取山上华池之水，咽下丹田，三五十度至百度，后用抽吸之法。

注

①用力缩下：用力收缩前后二阴。
②玉山之顶：即头部。
③山龙：即舌。

三曰抽者。交接之时，缓缓进步，不可深，不可急，常抽退步，吸接津液。一抽一吸，以我鼻吸他鼻出气，候其气喘急吸咽之。不可以口吸，口吸^①伤脑。
抽吸数多，玉茎自坚，神气壮盛，快然乐矣。臞仙曰：
慢进徐退，待气至，宜进退，上下相应，一退一吸，
惟多为益。吸不可开口，鼻引出气入脑为妙，行之
龙气刚劲，进则吹^②，退则吸。

注

①口吸：用口吸气。
②吹：吐气。

四曰吸者^①，吸他真气精液。想玉茎如受气之
管^②，采取之时，上以口鼻吸其津气，下以青龙^③吸
其液水，存想入我管中，上下一齐俱吸，勿令颠倒。
一抽一吸，如管吸水之状，但能依此采取，则颜色
光泽，精神自然清爽矣。

注

①者：原文缺，据文义补。
②受气之管：接受精气的管道。
③青龙：即阳具。

张仙曰：当吸之时，闭口咬牙，努目^①上视，吸
气一口，重重尽力，提至泥丸，待时其精化气，反
本归元也。

臞仙曰：想灵柯为受气之门，鼻为天门，与之
相应，肾为命门，亦与天门相合，一时齐吸，不得颠倒。

159

如吸得彼此腠理既和②，此阴阳感畅之候。

注

①努目：瞪大眼睛。
②和：协调。

想其赤黄气入灵柯，约至精室①，入气海肾堂，与阳气直透泥丸，其时鼻与灵柯一齐吸，但一退一吸，使气如筒吸水样，自下而上，妙在数多。如得彼赤黄气，便觉气热如火，得其一度气者，可延一纪，应天地一周之气也。如采取数多，觉山色渐凋②，即便易之。

注

①精室：中医术语，指命门。
②山色渐凋：对方容颜憔悴。

五曰闭者。交垢①之时，须当紧闭命门。命门通天关②，天关通命门肾府，若命门与天关不闭，则脑气下降，至命门肾宫流入琼台，则易泄也，然后化为金精矣。若闭固而不降于琼台，则永无漏泄之患，精既不泄，自然坚硬，可御十女不倦。

注

①垢：通"媾"，性交。以下皆同。
②天关：口为天关。

张仙曰：动作时，不可开口出气。口是天门，下与命门相接，若封固不牢，则失神败气[1]，其精易泄。且行功之时，五字相连，缺一不可。若弃存缩，而难以行其功，舍抽吸而难以得其物，四者虽备，而不急于封固，则又得而复失矣。瞿仙曰：动作必闭口息气，封固华池，以鼻引彼气，上升泥丸，一润元海[2]，存泥丸中。有红日一轮照耀光中，有仙子素衣黄裳，瞑目而坐，以舌抵上腭，存之使气逆流归元海。

注

①失神败气：失去精神，败坏精气。
②元海：即下丹田。

六曰展者。交之时，缓缓入炉，上采其津，搅漱我津液[1]，吸他一口气送下，循至丹田，运入玉茎。三五次或七九次，觉龟身森然[2]长大，筑满阴户，号曰展龟。但觉阴户紧窄，乃其验也。既满宜缓，不可急躁，交之久远，使情欢意畅，美不可言。若采之既久[3]，觉容颜销减，即换新鼎，不可强行也。

注

①搅漱我津液：搅拌在自己的唾液中。
②森然：形容高耸林立的样子。
③采之既久：采气的时间已经很长。

张仙曰：此操演法，男女相交，而两将相敌，女人自有不战而胜，静以待动的手段。男子一见的牝户开张，先神魂不定，不待战有几分败势。又目灵龟①发作的头上如镜一般，一入炉，不数合②便输了。盖不曾经传受操演过，若有传受，龟自然坚硬粗燥，有何惧哉？

注

①灵龟：即阳具。
②不数合：没有动几次。

碧霞采补长生秘要

碧霞真人曰：夫金银损坏，以金银补之，人之损坏，以人补之，今撮要①之言，乃一生之受用②，久而行之，却病延年，渐入仙家矣。秘诀仙传，非人勿示③。

注

①撮要：摘取要点。
②受用：受益。
③非人勿示：不合适的人不要告诉他。

修真养气第一

凡修真养气者，省言语①养内真，寡色欲②，养精气；薄滋味，养血气；咽津液，养肺气；慎嗔怒，养肝气；节饮食，养胃气；少思虑，养心气。若学道之士，依此行之，可使气壮神完矣。

注

①省言语：减少说话。
②寡色欲：减少情欲。

房中补益第二

经曰：以人补人，真得其真。老子曰：若欲长生，当须自生，房中之事，能生人，能杀人①，故知而能用者，可以养命，况兼服药者乎。男不可无女，女不可无男，不可强而闭之②，若强而闭之，则意不能不动，意动则神劳，神劳则损寿，若梦与鬼交，其精自泄，则一泄当十也③。

注

①杀人：损害人的寿命。

②不可强而闭之：不能够强行克制。

③则一泄当十也：（在梦中）泄精一次则相当于（行房事中）泄精十次。

择炉炼丹第三

夫鼎者，烹炼神丹之器，温养真气之炉也。须要不曾生产①美妇，择取眉清目秀，面白唇红，发黑鼻正，肥无余肉，瘦不露骨，肌体细腻，语言清爽，无口气体气②，崩带白浊者为妙。若鼎肥者，气脉不通；瘦者，骨乳精少；劳者，津液不足；病者，阴毒伤茎。切忌垢面蛇形，雄声雀步③，马口黄发，阴毛粗多而逆生者，交之则损矣。

注

①不曾生产：没有生过孩子的。

②无口气体气：口中、身体没有异味。

③雀步：行走似雀跃。

戏弄女精第四

夫仙人玉女，阴阳配合，何曾漏泄。今人不务女情感动其真气①，只求一时自己之快乐，玉茎才入阴户中，女情未动，男精先泄，自取衰败，终身不省②，可不惜哉。凡与妇人交合，先须温存怀抱，咬咂唇舌，玩弄两乳，将玉茎与女戏弄，男以手指深入妇人金炉③，候有淫水流出，此乃妇人阴情动矣，方可对炉交感，依法行功。此乃阴家先输之验，慢慢攻之，使气不喘，而神自定矣，岂不美哉。

注

①不务女情感动其真气：不追求女人动情而发泄出真阴之气。

②终身不省：从来不反省。

③金炉：阴部。

男察四至第五

夫玉茎不强，血气未至；强而不振，振而不硬者，骨气未至；硬而不热，神气未至；心欲而兴不美者，意气未至①。凡男子与妇人交合，必待强而振，振而硬，硬而热，察其四气至行之，若一气未至，即不可交。

注

①至：原文作"血"，据崇祯本改。

女审九到第六

夫女子未合之际，默咽津液者，意气到也；将身抱人者，骨气到也；强力动人者①，筋气到也；两目尖频视者，肝气到也；握弄玉茎者，血气到也；摸男两胁者，肉气到也；两鼻气蒸者，肺气到也；

身不动摇者②，肾气到也；滑津出者，脾气到也。凡九到全，方可交感。

注

①强力动人者：大力摇动男人。
②身不动摇者：身体不停地摇晃。

交合取胜第七

凡遇美色者①，心虽爱恋，当自逆于心情②，则与不爱者相似，必须按定心神，用玉茎插入炉内，慢慢浅深，往来行五七十次，以至百次，当可歇住。须要定心，再依前行五七十次，至二三十次，觉妇难禁温存，必先泄也。

注

①美色者：貌美的女人。
②当自逆于心情：应当自己抑制心情。

此时正好用功采取，须再依前法行之，若自己微觉情动①，将玉茎抽出，如龟藏体，六物②皆缩，闭口吸气，一把提起，自然不泄，还精补髓，乃阴输阳胜也。慎勿进之太深，若急速太深，则颠倒五脏。

注

①情动：有泄精之意。
②六物：头、四肢、阳具，共六物。

　　强忍情欲则精流入肾胞，令人外肾①冷痛，阴汗浸润，更生小肠奔豚气、膀光②气、疝气是也。诀曰：凡行功时，鼻内微微吸气，渐渐出气，但觉喘息，便宜歇住③，俟气调匀，可再依前法行战。然战不厌缓，采不厌速，如此有益，慎而行之，不可忽也。

注

①外肾：即睾丸，中医学称之为外肾。

②光：疑为"胱"之误。

③便宜歇住：就应该停止。

采炼太和第八

　　夫采炼太和者，只可以调马牧牛，若妇人先泄，目瞑身颤①，面赤颊红舌尖渐冷，鼻孔开张，口闭气粗，肢体不收②，神思恍惚，阴穴脉动，滑津流溢，此其先泄之验也。男子当此之际，心定意静，上采舌津，中采蟠桃③，下采月华，采而得之，行提运动，自尾闾穴两道，运气贯上夹脊，透至双关，上入泥丸宫，流转入口，化作琼浆，咽下重楼，入丹田，起火煅炼，此谓黄河水逆流也。

注

①目瞑身颤：眼睛闭合，身体颤动。

②肢体不收：四肢身体舒展。

③蟠桃：即乳房。

老子曰：玄牝之门，为天地根。又曰：采得归来炉里炼，炼成温养作烹鲜。阳衰阴养[1]，树衰土培，此法仙人口口相授，慎勿轻泄。

注

[1]阳衰阴养：阳气衰败用阴精来濡养。

惜气养精第九

夫惜气养精者，人之大要也。天有三奇，日月星；地有三奇，乙丙丁；人有三奇，神气精。若有人存神固气保精，则百病不生。须要保惜[1]，不可轻泄，若轻泄其精，如以珠玉投于深渊，岂能再得？可不慎乎？经曰：精养灵根气养神，此真之外更无真，丹田一粒菩提子，谁肯轻轻泄于人。

注

[1]保惜：保护珍惜。

盖男子以泄精为乐，不知精泄之后，玉茎衰怯，身体困倦，不能再举，有何乐也。若固济根蒂，闭而不泄，日夜交合数妇，采取其精，情畅神爽，爱慕之情[1]，不能休息，又能补益朱颜，身轻骨健，延年益寿，以此观之，孰为乐乎？问罢，玉蟾子曰：房中有法炼阴丹，阳得阴兮大壮颜，补得脑实骨轻健，百年如此转轮环，盖人之一身，本无储精之所，但脑气^②下降，即为精矣。

注

①爱慕之情：（女子对男子的）喜欢羡慕之情。
②脑气：脑中精气。

洗心全神第十

　　失心者，神之舍^①也。心静则神安，心动则神疲。神者四肢之主，能少思虑，省嗜欲^②，扫除杂念，湛然不侵^③，则神自全，神全则身安，身安则寿永，是乃修身之大要矣。

注

①舍：舍去，离开。
②省嗜欲：减少嗜好、欲望。
③湛然不侵：安然不被侵害。

三峰采战秘诀

上峰，名曰莲花峰。未交感时，以两手擦热抱妇人腰，以口就①妇人口，轻轻顺妇人舌尖，四十九咂，觉口中津液咽之，以左右手，揉自己胸三两下，仰卧，令妇人身在上，抱妇人腰背，以口顺妇人舌尖，如冷，尽力咂之。其妇人觉无意思，却令妇人仰卧，以茎物入炉，徐徐彻彻，却用舌抵上腭，目视天关②，但用其功，只是不泄。明月聪耳，且壮气力。

注

①就：对着。
②目视天关：眼睛向下看。

中峰，名曰玉炉峰。和五脏①，调脾胃。令妇人仰卧，以手纳②其阴户，觉妇人情动即以两手抱定妇人腰，□口先于左边奶上，一气轻咂三十六，咂了③，□于右边奶上，轻咂四十九次，觉口中津满，咽之。待少时，却就床上将自己左足先伸定，却坐、起坐，将两脚伸直；复以左手扳右足大指，又以右手扳左足大指，如此着力三次，放了。

注

①和五脏：调和五脏。
②纳：放进。
③咂了：吸完三十六口后。

却仰卧，手擦胸三两次。少待，却以阳物入阴户依常法交接①，则精不走，养肌体，悦颜色，补内损②。此法四时用之各有次第，如春采乳，则以左边咂四十九，右边咂三十六，咽之；夏则左边二十四，右边二十一，名瑶池浆；秋则左边三十七，右边二十九，名金液浆；冬则左边三十一，右边二十三，名玄□胶。数不可多，多则损妇人，无乳亦不妨。

注

①交接：行房事。
②补内损：补益内脏的损伤。

下峰，名曰玄门峰。此则巨富相敌，妇人情欲淫水荡漾，或遇阴候①正来，交感时，觉妇女情兴正浓，却以手抵妇人腰眼，一二抵②，觉情尤正却徐彻之③，看茎物上，有血丝带，名金丹药，当用金银蓖子刮下，安在器中，或罐中，空心用温酒送下。

注

①阴候：月经。
②一二抵：抵腰一两下。
③觉情尤正却徐彻之：对方兴致正浓时慢慢退出。

又一法，淫水多者，用干蒸饼，挹其阴户，丸如梧桐子大，朱砂为衣，空心酒下三十丸。贵人多不用①，不知此方，大有功效，却高如莲花峰法。盖阴极阳生[2]，大补精髓，令人肺肝常清，精神不杂，久而行之，可以通神入仙。人多用玉乳峰，亦可延年不老。

①贵人多不用：富贵的人大多不是用这种方法。
②阴极阳生：阴精发展到极限就会化生阳气。

臞仙曰：凡采战之法，采一女，益一人，十女者延年，百女长生不老。遇交接玉茎欲泄，不可令妇抱腰，乃频接[1]女人津液咽之，不可令其手触液[2]下，则令人气散，皆是采阴之法。每交接以三五十六者，则止，令女呵浊气七口出之。次将口压定女人口边，再令女呵清气一口，用舌入女人舌下，接其气咽。

①频接：频繁地接住。
②液：疑为"腋"之误。

海蟾云：若要长生不老，须定还精补脑[1]。彭祖曰：数欲交接则数愈多，功愈久，皆以不泄又能御女，十二不泄为闭，则红颜悦色，凝神快意，若御九十三女而不泄，年跻百岁[2]。精少则疾[3]，精尽则死，可不慎欤？《子都经》曰：旋泄之法，切须忌弱出强入，纳玉茎于琴弦凌齿之间，如红大，便止。

注

①还精补脑：归还精液，补益脑海。
②年跻百岁：寿命增长到百岁。
③精少则疾：缺少精气就会得疾病。

弱纳强出，长生之术，强人弱出，其命当卒，此之谓也。刘景道人云：春月三旦一泄，夏秋一日一泄，冬则当闭①。盖天地终藏，一阳未复，盘结蕴固，冬月一泄，其忽诸乎？蒯道会云：人年六十，便当窒欲②，若得术而御之，则可以自度；不辨③，绝之为上，服药百种，舍此而永生也。

注

①冬则当闭：冬天应该闭藏不泄。
②窒欲：控制欲望。
③不辨：不懂御女之术。

四
福

戒忌十段锦

大戒　忍尿行房要作淋，尿头行房大损神，水火行时须且待，徐徐插入力须均。

防伤　莫令玉女抚腰堂①，吞下男精忌女伤，两手脉经休被起，拍郎双肾切须防。

戒急　女意未动休急欢②，四肢皆硬内门干，更兼悲喜忧惊后，犯者男伤女不安。

注

①莫令玉女抚腰堂：不要让女人抚摸男人热腰部。
②女意未动休急欢：女人兴趣未来之时不能急于行房事。

忌饥　肚饥交感百神悲①，气出神昏五脏衰，此是仙家名百福，一交胜似百交疲。

忌饱　大醉大饱俱独宿②，免教五脏背反覆，喘呕晨昏吐血涎，未免疮痍生手足。

忌交　休依瘦病生新疾，产后之炉损丈夫③，年少若教亲老妇，阳衰阴盛是危途。

注

①肚饥交感百神悲：饥饿时行房事，精神会衰微。
②大醉大饱俱独宿：大醉和饱食后应独自睡觉。
③产后之炉损丈夫：产后行房事对丈夫也不好。

交感 十分只可入三分，来往时时把乳吞，出入往来将百步，急须着力送连根。

两伤 女垂男仰两相伤①，大怕浓精入肾肠，女病成劳难救治，男伤渐渐觉萎黄。

指迷 意懒莫强战②，强战生百损，渴后食凉浆，温时切莫饮。

感毕 战罢须当便养神，就床端坐咽津频③，瞑目看心耳听肾，自然神气复调匀。

注

① 女垂男仰两相伤：女子直坐，男人仰卧行房事对两人都有损伤。

② 意懒莫强战：精神不佳时不能强行交合。

③ 就床端坐咽津频：在床上坐定，频频咽唾液。

福

读福寿丹书
经寿丹书
典养
学生书

FU
SHOU
DAN
SHU

四福

素女论

语曰：一女可敌十男，一男难敌十女，何也，男情易动[1]，则易灭，如渴得浆。女情难动，则难灭，如热得凉。且如男子兴来便上马，兴阑[2]精走泄矣，岂知妇人情怀未畅，其心似炎，得凉风，则力健意浓，男子无力，岂能遂其乐哉？盖男子以妇人之乐为乐[3]，妇人既不乐，男子有何乐？

注

①男情易动：男人的情性容易兴起。
②兴阑：兴致减退。
③盖男子以妇人之乐为乐：因此男人应以女人的快乐而感到快乐。

初交时，切不可性急，须抱搂着，澄心把定[1]，如不经意[2]，一般待他情动，方可用事。此时妇人如涸鱼得水，战力不乏，往来不可速，亦不可着体用力，如欲泄，出炉以易其心。如茎弱再战，一般出炉数番，妇人眼慢，四大不举，方是战力之功。交接之际，不可付舌尖津液[3]，斯时，阳气奔盈于上，如与舌尖津液，则元阳气盗，不久尪羸。

注

①澄心把定：澄清内心，把持住。
②如不经意：就像不放在心上。
③不可付舌尖津液：不可以吐出舌尖上的唾液。

若妇人情急，气喘乏[1]，语言娇细，方可采求津液，吮他舌尖，于舌上下，用力大吸阴气一口咽之，以补元阳。临美之际，不可深，深则津液太过，必至痨瘵。但遇交接，暗数往来，九浅一深。下马仰睡，用手于胸肚上，揉擦五脏还位，及均匀于气[2]，亦不可缩脚而卧，免致下疾[3]。

注

①气喘乏：喘息气短。
②均匀于气：呼吸均匀。
③下疾：下身产生疾病。

次早起来，便以养神法助之。望东方取气[1]三口咽之，用手随气亦擦至丹田，三存三跳，伸缩提掇百骨，插手过头[2]，坠手合掌，热索脸，出气三口，背手擦牙，井花水[3]半口灌漱，以舌团搅作丸咽下，乃名神水，火能助阳，然后洗面漱洗。

注

①取气：即吸气。
②插手过头：两手交叉举过头顶。
③井花水：清晨时第一次打的水。

投好得人

夫贪者赠以财，淫者调以言^①，滥者益之以伟物，好俊晓之以聪明，好丽娱之以声色^②，凡五者，由基之杨叶也。

注

①淫者调以言：对于贪淫好色之人，用语言来挑逗他。
②好丽娱之以声色：对于喜欢美女玩乐的人，则给他歌舞和女色。

阴中八邃

一寸琴弦，二寸菱齿，三寸婴鼠，四寸玄珠，五寸谷实，六寸愈鼠，七寸昆户，八寸北极。

交合九势

第一龙飞势。女子仰睡，男伏腹上[1]，据[2]股含舌。令女举其阴物，受男子玉茎，刺其谷实，和缓慢摇，行八浅六深之法。阴乃壮热，阳乃刚硬，男乐女欢，两情畅美，百疾消除。

注

①男伏腹上：男子卧伏在女子腹部之上。
②据：依靠。

第二虎行势。女子跪朝低头[1]，男踏后抱腰，入玉茎，叩阴户之中，五浅六深之法。阴若开张，阳气出纳，男舒女悦，血脉流通，消除烦闷，益于身心，颜色奇异。

注

①女子跪朝低头：女子呈跪姿，头部向下。

第三猿搏势。女开两股[1]，男子腿坐其上，阴户开张，乃入玉茎，九浅五深之法。快乐尤甚，津液流通，百疾不生，神清气爽也。

注

①股：大腿，自胯至膝盖的部分。

第四蝉附势。妇人覆耳，直伸左股，曲右股，男跪后，玉茎刺入，叩其玄珠，行七八之数[1]。女阴火张，快乐即止，阴阳顺通，自然和美。

注

[1]行七八之数：用七浅八深的方法。

第五龟腾势。女子伸卧[1]，男子托起女子双腿过乳[2]，入玉茎刺其谷实，女情自动，男精施泄，阴壮热，自然身觉酥矣。

注

[1]伸卧：仰卧。
[2]乳：崇祯本作"耳"。

第六凤翔势。女人仰卧于床，自举两股，男子以两手按床，深入玉茎，刺其阴户，使玉茎坚硬，阴户壮热[1]内动，女子自摇九浅八深之数。男女深悦，乐情过加，诸疾不作，此得阴之妙也。

注

[1]壮热：大热，非常热。

第七兔吮势。男子仰卧，直伸两股，女反坐[1]男玉茎上，面向男足，两股在男腿边，按席低头[2]，女握玉茎入阴户之中，刺其琴弦，玉茎坚硬，行七浅八深之数,津液流入女户之中,女阴降接,徐徐抽动,自然美矣。

注

①女反坐:女子反向坐在男子身上。
②按席低头:双手按在床上,头部下低。

第八鱼游势。用二女子,令一女伏其上,一使二女相合①,亦效男子法,男子坐看女之行,使淫心兴起,玉茎硬大,二女自来执茎入内,男睡女坐②,津液流通,自然美畅。

注

①相合:交合。
②男睡女坐:男子仰卧,女子呈坐姿。

第九鹤交势。男倚于床,女手去挽男颈,女以左足麗床,男以右手托女左股,女负男肩①,两手紧贴,女执玉茎朝入菱齿,中其谷实,轻摇慢动,九浅十深之数,阴阳交媾,流注津液,淫欲情性,自益男子,百病消除,颜色红满,自然快乐矣。

注

①女负男肩:女子左腿压在男子肩上。

锁关十要

一散精。行功毕①，两手如弯弓，左右三次，手兜膝，则精自散四肢矣。

二驾河车。以两手搭项颈，左右手搭谷道，挺身吸气三口，精自升降②矣。

三转运。平身吸气数口，令腹中有声，其精自入丹田，依法固守。

注

①行功毕：行房事后。
②精自升降：精气自动上升下降。

四定想。平坐，吸气七口吞下，通诸窍矣。

五辟阖①。九浅一深，一吸一嘘。

六关锁。行功时，觉精动，两手握双拳，足如钩②，背如龟，腹胁吸气一口，其精自逆上泥丸宫。

七采取。上采舌津，中采蟠桃，下采月华，退灵柯半寸，缓缓吸气七口，如竹吸水③。

注

①阖：音 hé，闭合。
②足如钩：脚趾勾起像钩子一样。
③如竹吸水：像用竹筒吸水一样。

八拣点。每早未语时①，呵气热手，揩三转九擦两脸，摩动腰间三十六次，其精自然运矣。

九服药饵。十补丸，取枸杞天之精，熟地地之精，甘菊日之精，白苓月之精，天冬星之精，菟丝金之精，官桂木之精，苁蓉水之精，汉椒火之精，石枣土之精。各等份，遵法制，细末。酒糊丸梧子大，每服一②十丸，空心盐汤下。

①每早未语时：每天早清晨没有说话之时。
②一：崇祯本作"二"。

十沐浴。九香汤，遇晚淋洗①，上床助阳真气。蛇床、地骨、紫梢、紫荆、防风、杨梅、甘松、藿香等份，㕮咀，煎水于盆内，热手不住洗。

①遇晚淋洗：行房当天晚上（用九香汤）淋洗。

男子六错

一忌三元节。庚申、甲子、伏腊、本命元辰、朔望、弦晦。

二忌作干劳困。气力奔冲，远行无力，才下车马。

三忌连日饮酒。久病初安，元气未完[1]，忿怒惊恐。

四忌言语过多。交接频数，行早卧迟[2]，观玩劳倦。

注

①未完：不完整。

②行早卧迟：很早出行，很晚入睡。

五忌神庙、迅雷[1]、烈风、日月、星辰之下。

六忌大寒打颤、大热汗流，大饱伤心损气，大饥大醉，无力主张[2]，心中好欲，久淫不止，津闭不出。

注

①迅雷：雷雨天气。

②无力主张：疲倦乏力之时。

以上皆不宜交欢，静而守之。须择日，必阳上半日，阴下半日，甲日为阳，乙日为阴，余仿此。专忌子前，乃阳生阴盛[1]之时。凡交须饮酒一二杯，或茶一盏。忌晚饭夜食[2]。使气脉流通，精神清爽，然后两意相孚，战不衰矣。

注

①阳生阴盛：阳气生长而阴气旺盛之时。

②忌晚饭夜食：禁忌在半夜食用晚饭。

女子五迷

一皮粗肉燥[1]，口大声雄，形容憔怅[2]，体气发焦，崩漏带下。

二痨瘦黄弱，白癜风疥，久病方愈[3]，气脉不全。

三肥胖笼东，大瘦如柴，阴贼妒忌，狠毒不笑。

四年及四旬，生育过多，皮宽乳慢，有似猪胞，阴户毛粗。

注

①皮粗肉燥：皮肤、肌肉粗糙干燥。
②形容憔怅：面容憔悴怅然。
③久病方愈：长时间生病刚刚治愈。

五形质不全，跛足眇目[1]，耳聋暗哑，弩臂突脐，龟背豺身，蛇行雀跳。

以上犯者，俱不可交，须知爱护精气，休亲恶炉[2]，以致悮[3]害也。

注

①眇目：失明，目盲。
②休亲恶炉：不要亲近不好的女子。
③悮：通"误"。

四季养性

春季朔日面东平坐，啮①三通，附气九息，吸震宫②清气，入口，九数吞之，以补虚损。烹青龙之鬼，致二童子之馔，此养精之妙。

四五月清旦，面南端坐，叩金梁九，漱玄泉三，清思注想，吸离宫③赤气，入口三吞之，闭气三十以呼之，填其虚府。

注

①啮：咬，即叩齿。
②震宫：即东方。
③离宫：即南方。

六月朔，及四季末旭日，正坐，禁鼓五息①，天鼓十二通，吸坤宫②黄气十二咽，以补呼之损，敛玉液之休，以致神气风之味，使补脾以佐神也。

注

①禁鼓五息：即安静端坐五个呼吸的时间。
②坤宫：西南方向。

七八九月朔望旭日，面西坐，鸣天鼓七，饮玉浆瞑正心，吸兑宫①白气，入口七吞之，闭气七十息，补泻气之致也。

冬季面北，平坐，鸣金梁，饮玉泉，三吸玄宫②，黑气，入口五吞之，以补呼之损。端居静思，吸黑

福寿丹书

读经典 学养生

福寿丹书

FU
SHOU
DAN
SHU

四
福

三吞之③，以益胆之精。

①兑宫：即西方。
②玄宫：即北方。
③吸黑三吞之：吸黑气分三口吞咽。

子午进火运火

　　每子后午前[1]，及五更初阳盛时，就榻上[2]，面东，或南，握固盘坐。或仰卧高枕，伸足舒腰，澄心内顾[3]五脏，仰面合口，鼻引清气，一吸莫令耳闻气，极伸腰徐徐咽下，存气直下海门，开以双手，压缩谷道。

注

①子后午前：午时之前，子时以后。
②榻上：床榻上。
③内顾：即内视。

　　一缩，次开目上视，口呵浊气一口，上升天谷，存气直上顶门[1]。气即上，随待口中津液，聚玉泉关气，耳热，即闭口，仰面凝神，一咽中正，三咽而止，直到丹田，入海门关。再缩谷道一缩，将阴手擦龟身，如是十一次，是一周天也。

注

①顶门：头顶。

189

精妙要机

　　金鼎欲留珠里汞，玉池须下水中铅，口口气吸进玉茎，至阳跷穴[①]，到阴跷穴[②]，至尾闾，河车搬运至夹脊双关，怒目上玉枕，至昆仑，下玉池，紧闭任、督二脉，上鹊桥之呼，下鹊桥之吸，不可不知，漱津下重楼，纳丹田气海，此段工夫，须行走坐卧，不可间断，不止子午为然也[③]。（见下图）

注

①阳跷穴：即申脉穴，位于人体的足部外侧，外踝直下方凹陷中。

②阴跷穴：在人体的前阴与后阴之间的凹陷处，也叫会阴穴。

③不止子午为然也：不仅仅是子后午前这样做。

玄关要言

昂头并仰气，鼻吸引清气，觉下到腰间，徐徐咽真气。一举行七番[1]，将身直立地，用手胸前摩，连呵七口气。两手紧捏拳，抵腰却闭气[2]，一低一仰天，脚根硬踏地。渐觉腹中满，蹲身以着地，一口一身蹲，如此七番止。用面仰其头，用肩掇其背，如此行三番，用气送脐下。虚送十数番，柜子须用者，徐徐待少时，茎物坚竖起。

注

[1]一举行七番：每一回这样做七次。
[2]抵腰却闭气：拳头抵在腰部，同时闭住呼吸。

用手提衬具，入炉养刚气，少刻硬如枪，有琛[1]并结坠。再行大如拳，铁杖应难比，此是神仙法，不可乱传世。事尽功已成，遇经亦无气，功若未成时，未可便轻弃。阴阳交媾浓，漫漫而已矣，来往二百番，泄精无滓腻。保养固丹田，饮食更有味，种子麝香丸，不要服弹头。颜色如婴儿，行步疾如骥，相劝愚痴人，千金莫乱施[2]。宝笈自收藏，传之勿容易。

注

[1]琛：珍宝。
[2]千金莫乱施：即使能用很多钱交换，也不要轻易交给别人。

刘海蟾玉泉无泄歌

　　阴抱阳兮是祖宗，洞房深处少施功，泥丸顶上长生润即生光，气隔三关有理通[1]。不问自炉并别灶，作用行时事一同，须是为宾须作主，缓行云雨意从容。兴浓四体情将动，玉柱半插阴门中，凝神止息闭思想，坚牢内外不通风。运至泥丸先透顶，昆仑摇撼过天冲，久久行之须见效，黄昏直至五更钟，此是神仙无漏术[2]，遇之极者是孩童。

注

①有理通：理，纹理，道路；有道路相通。
②无漏术：不泄露精气的方法。

秘旨鹧鸪天

　　子午工夫养性天，龙吟虎啸送丹田，阴阳颠倒①灵苗透，会得神峰妙更传。金锁柜，铁牛坚，黄河水逆好行船，寿年更把金丹助，造化长生不老年。

注

①阴阳颠倒：即行房事。

种子之法

夫人生于世，一夫一妇，古之道也。有夫妇，则欲子嗣，养生送死[1]，道之常也。《书》云：不孝有三，无后为大。世人须存夫妇之道，不知交合之情，种子之法，徒然交感[2]，故不能成胎。凡无子者，皆交合不得其道。

注

①养生送死：子女对父母的赡养和殡葬。
②徒然交感：白白地进行交合。

或男情动，而精气过泄，缘[1]妇人情未动，而阴门未开，须阳精至而不纳；或妇人情先动，阴门开张，男子兴未动，而女人兴已过矣，纵然[2]阳精至，阴门固闭不纳，亦无子也。故曰：欲要子者，以何术也？

注

①缘：由于。
②纵然：即使。

曰：男子须先补养丹田，真气壮盛，亦要妇人调燮[1]身中血气均平，然后用功交合，要两情俱动，无不验也。若阴血先至，而阳精后冲[2]，则血包精，精入骨而成男子。若阳精先至，而阴血后添，则精包血而成女子。若阴阳并至，则非男非女也。

注

①燮：音 xiè，谐和，调和。

②冲：到。

夫达①者，深究此情，两情正美，觉精欲泄，然后纳玉茎于妇人极乐处，女则耸睡承接，收精入宫②，男女各不可动，待片时同收毕，然后抽退玉茎，令女人正身仰卧，男子仍依前引法，黄河水逆流法，自己缩胁提腰四十九次方睡。

注

①达：通达，明白。

②宫：即子宫。

凡要男用太阳时，要女用太阴时，又要女子经脉通净，然后三五日内，红脉未止，黄水收之际，阴门正开之时，下种尤妙。主生男，血气壮盛，必无疾病。越此三五日后①，阴门闭矣，虚文交感，又曰日期不等。

注

①越此三五日后：超过这个时间三五天后。

附　经验神授方

汉钟离老祖阴阳二仙丹

此系无上道人，献于云南沐府者。不论虚损劳怯至危[①]，用酒化开七粒，灌下立醒。老人朔望日[②]，服之一粒，却病延年不死。

制硫法　好硫四两，用好醋四两煮干。再用黄腊四两熔化，倾入水内，去醋，取净硫研碎。再用益母草汁煮过，再用金星草汁，煮三炷香，听用。

① 至危：到了非常危险的地步。
② 朔望日：即朔日和望日。朔日，中国农历每月初一；望日，农历每月十五或十六日。

打灵药法　汞一两，制硫二钱半，同炒成青金头色，入罐打火三炷香，取出听用。

养砂法　每砂，先用好醋炒过，然后用铅母养。

熏铅法　将砂砍作三四分一块，每两用铅四两炼成。先将铅砍碎，铺底尽头[①]，砂放中间，入土釜，养二七，取出入冷水浸二日夜，去火毒，听养过砂汞亦妙。

① 铺底尽头：铺在最底下。

197

制生砂法　好砂三两，用米醋二两，炒干，再用水煮干。

配阳法　生砂四钱　制砂二钱　芦荟四钱　沉香　木香各七分　灵药四钱　乳香　没药各五分　共为细末，红枣去皮、核，为丸，如梧子大，金箔为衣。

配阴法　生砂二钱　制砂五钱　灵药　芦荟各四钱　沉香　木香各五分　乳香　没药各三分半　麝香一分半　共为细末，炼蜜为丸①，如梧子大，金箔为衣，二丹俱用芦荟煎酒下。

注

①炼蜜为丸：用蜜和成药丸。

吕纯阳却病乌须延年仙茶方

此系洛阳了然禅师秘藏之方，有《西江月》云：学得灵丹容易，仙传甘露参成，滋阴降火壮神精，黑发乌须响应。痰火疟痨①立效，肺风积热难停，固齿调胃眼光明，久服超凡入圣②。

注

①疟痨：疟疾、痨病。
②超凡入圣：凡，指凡人、普通人。超越平常人而达到圣贤的境界。

制茶法　上好牙茶一斤　用沉香　芸香　降香　甘草　白术　孩儿茶　百药煎　甘松　桂皮　当归

薄荷　活石　葛粉　琥珀　柿霜　细辛　寒水石　硼
砂　砂仁　丁香　犀角　羚羊角　朱砂　小赤豆

　　上各三钱，锉碎，每各一钱，用水三碗，煎一碗，
倾入瓷盆内，将茶入汤浸湿，就捞起晒干，如此九
浸九晒，共九日听用。但[1]制此茶，务[2]看天色好，
方可下手。

注

①但：但凡。
②务：务必，一定要。

阳火丸

　　用拳雄鸡肾子十枚，各以银簪[1]脚钻孔　入麝
香如米粒大，二粒　黄狗脊髓一条　黄狗外肾一对
各入麝香　鹿茸一两，好酒浸一夜，蒸热，各阴
干　大雄蛤蚧一个，鲜羊油炙　大雄海马一对，酥
炙　大石燕一对，火煅，童便淬七次　阳起石二钱，
制同　樟脑三钱　当门子一对，即麝香一大粒，面
裹之煨热

　　以上俱为细末，蜜丸，如弹子大，用朱砂为衣，
银盒盛之，勿泄灵气。每丸可用七八年，用时，闭右鼻，
将左鼻吸之，则沛然[2]兴起。此药能壮气养血，返老
还童，回生[3]延命，固精种子，助阳扶阴，九战不倒，
妙难尽述矣。

注

①簪：古代男女均用的一种别住发髻的条状物。

②沛然：充盛的样子，盛大的样子。

③回生：恢复生命。

阴水丸　以阴药收阳药

钟乳粉　梅花冰片　沉香各三钱　雌鳖头火锻，五钱　雌蛤蚧有尾者一梅，醋炙，入麝香一分

以上俱为细末，蜜丸如弹子大，好京墨①为衣，照前收贮，不可安作②一处。欲退阴时，闭左鼻，以右鼻吸之，则阴回转。二丹效如响应③，视世间一切洞房秘术，不啻天渊也。秘之！秘之！

注

①京墨：由松烟末和胶质做成。

②安作：安放。

③响应：比喻反应迅速。

周天再造固本还真膏

蛇床子　肉苁蓉　巴戟　防风　人参　枸杞子地骨皮　细辛　草乌　川乌　麦门冬　广木香　茯苓　丁香　大附子　生地黄　木鳖子　锁阳　乳香桂皮　没药　豆蔻上各五钱　天门冬　当归　熟地苍术各一两

用真正芝麻油一斤四两，将前药入油内，煎至五六滚①，验药枯将夏布漉净，滴油入冷水中，成珠不散，再入后开药末。

麝香　雄黄各三钱　阳起石二两，如无用鸦片代之　虎骨　海马各二两，用酥油煮透，慢火焙干　蟾酥　紫梢花　龙骨各一两　石燕二对　云母石一两

注

①五六滚：即开锅五六次。

上为末，待煎油成珠，退温投入内搅匀，收瓷罐内，冷水浸灌半肚，三昼夜，退火气。不拘颜色好绢，或厚纸表开[1]，摊其药封脐，每六十日一换。此药能镇玉池，金精不泄，兴阳助气，通二十四血脉。若欲种子，揭去膏药，金精射入子宫，百发百中。又治下元虚冷，五劳七伤，膀胱气，风湿痛痒，两腿酸麻，阳事不举，妇人赤白带下，血山崩漏[2]。能令老弱行路刚健，颜发转变。

注

①厚纸表开：涂抹在厚纸上摊开。
②血山崩漏：中医学指妇女不在行经期，阴道大量出血的病症。因其出血量多而来势急剧，因此得名。又称崩中。

武后小浴盆

蛇床子　荆芥　地骨皮　良姜　官桂　地龙　木鳖子　大戟

上为末，用水二匙二碗，煎至一碗半，乘热熏之，候温即洗①。

注

①候温即洗：等到汤药温和了就可以清洗了。

浴炉长思散

吴茱萸　山茱萸　青、胡桃皮　甘遂　朴硝少许

共为末，水二碗煎至一碗入瓶熏洗。

宋徽宗幸李师师命和剂局制龙戏珠方

芙蓉五分　蟾酥三分　麝香三分　母丁香二对大附子五分　锁阳五分　紫梢花　淫羊藿五分　花蜘蛛五分

共为细末，葱汁为丸，如绿豆大，每服或用三四厘，酒搽龟头上，日中上药至晚温水洗过①，入炉任行。

注

①日中上药至晚温水洗过：中午抹药，到晚上用温水清洗。

仙丹贴脐饼

大附子一个，要一两五钱者佳，二两重者更妙

甘遂　甘草各二钱五分　母丁香七个

　　将附子剐[1]空一孔，入三味药于内，用上好细花烧酒半斤，将瓦罐贮入附子，用棉纸封罐口。以米数颗放纸上，米热为度取出，去甘遂、甘草二味不用，捣杵如泥，入麝香五厘于内，做成一饼，贴脐上，用绢帛系住。不惟固精兴阳，兼能防寒御暑[2]，妙难尽述。

注

①剐：用尖锐的东西划破。
②防寒御暑：预防寒冷，抵御暑热。